旭川歴史市民劇

旭川青春グラフィティ
ザ・ゴールデンエイジ

―コロナ禍中の住民劇全記録―

本公演の舞台から

画像提供：㈱アイディアサンタ　竹内正樹（でじたるパパ）

極粋会
極粋会
極粋会

の世界である処へ。

予告編（プレ公演）の舞台から

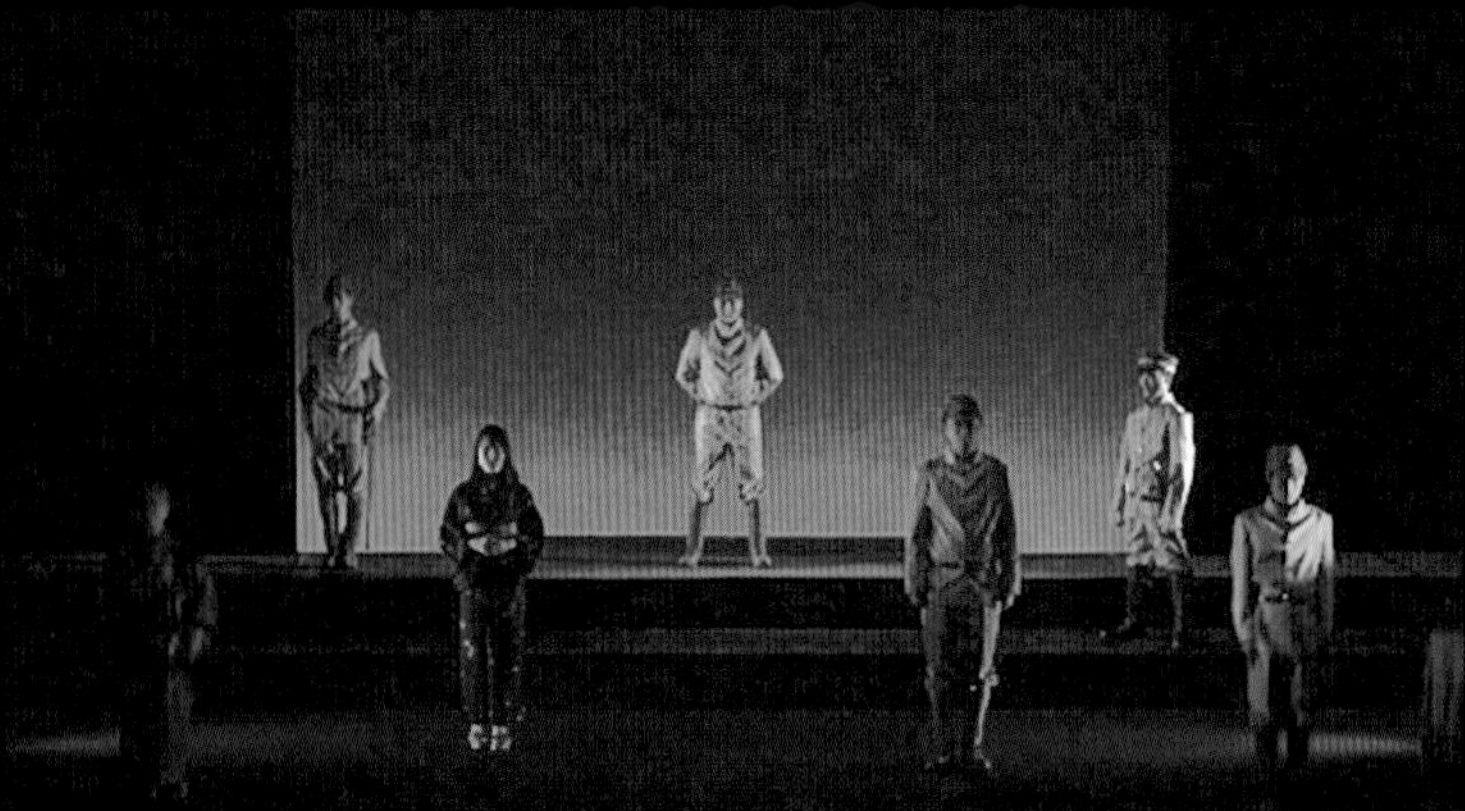

1

2

本公演の舞台裏

1. 男性陣のメイク
2. 感染防止のため楽屋は机一つを一人で
3. ミーティング

3

5

4

6

7

4．ヘアメイク担当は
理容美容専門学校の先生方

5．制作スタッフも最後のチェック

6．最終日本番直前に行われた
「解散式」

7．「解散式」に集まったスタッフ

9

8

10

11

8．ソーシャルディスタンス
仕様の客席

9．本番で使われた小道具

10．「気合い入れ」をして
いざ本番へ

11．感染対策を徹底しての受付

旭川歴史市民劇
旭川青春グラフィティ　ザ・ゴールデンエイジ
――コロナ禍中の住民劇全記録――

目次

旭川歴史市民劇上演を終えて

旭川歴史市民劇実行委員長　原田　直彦

２０２０年２月のプレ公演ならびに２０２１年３月の本公演がみごとに終了しました。長く稽古などの活動の拠点となった旭川信用金庫隣のスタジオ・スクラッチも、もぬけの殻であり、キャスト・スタッフの皆さんの生き生きとした姿も今はもうありません。

まずもって、新型コロナウイルス感染拡大という誰も経験したことのない状況の中、最後まで全力を尽くされたキャスト・スタッフの皆さまに心から敬意を表します。そして、ご支援、ご協力をいただいたあらゆる関係者の皆さまに心から感謝申し上げます。

大正末から昭和初めにかけて、詩人・小熊秀雄、画家・高橋北修、歌人・齋藤史など、ここ旭川で激しく生を燃焼した若者たちの旺盛なエネルギーが、くっきりとした軌跡となって地域の歴史に刻まれている。それを、市民から幅広くキャスト・スタッフを公募し、旭川では30年ぶりとなる市民劇によって、地元旭川の市民の皆さん、特に次代を担う若い世代に知ってもらうことが、この作品上演の最大の目的でした。

その目的はみごとに達成され、大正末から昭和初めの時代に燃焼された若者たちのエネルギーは、現代の若者たちを中心としたキャストの皆さんによって大きく増幅されて生き生きと表現されました。それは、キャスト・スタッフの皆さんの上演に対する並々ならぬご努力はもとよりですが、コロナ禍という困難を皆で乗り越えてきた自

原《はら》田《だ》　直《なお》彦《ひこ》

１９５９（昭和34）年、上川郡当麻町生まれ。１９８１（昭和56）年、旭川信用金庫に入庫。東支店長、常勤理事などを経て、２０１３（平成25）年に理事長に就任。北海道信用金庫協会理事、旭川商工会議所副会頭、旭川なかまど文化賞協議会委員など多数の公職を務める。

信の為せるわざであったという気がしてなりません。正に、困難が人を育てることを実感しました。

若者たちにはまちを変える力がある。そして、私たちにはそれを支える力がある。勇気づけることばがある。たまに、私たちの中にも、若者のようにまちを変えようとする者が出てくる。そんなことを実感し、旭川をそんなまちにしたいと強く思った上演でした。それがこの市民劇を観た皆さんの共通の感想だったことと思います。

那須敦志さんが、旭川の歴史に、そして、その時代に登場する人物に大きな関心を持ち、脚本を書かれたことからこの市民劇は始まりました。そこに、制作に直接携わる人、制作を縁の下で支える人、役者として登場する人、資金面を含め全般を応援する人、そして、上演を観ていただいた人、などなどが関わり合いこの市民劇は完成されました。「この舞台に関わった人それぞれに、何かしら得るものがあったとしたらこの市民劇にものすごい価値を与えてくれたことになる」と那須さんは心から感謝しています。そして、皆のこの感激を今後にどう活かすのか。「演劇でなくてもよいので、誰かが、こうやって人が集まって一つのものを作ることにつながればよい」と制作プロデューサーの川谷孝司さんは仰り、「市民劇をやったのは、次の世代に演劇という文化をつなげていくという意味もあったわけであり、演劇の面でも、何か始めてほしい」と演出の高田学さんは仰った。私は、市民劇にチャレンジして最後までやり遂げたことに自信を持って、そして、皆が一つになれば何でもできることを信じて、これからを進んでほしいと思うばかりです。

皆さん、本当にお疲れさまでした。そして、本当にありがとうございました。

詩のマチ、演劇のマチ、文化のマチ旭川をコロナから取り戻す。

詩誌「フラジャイル」代表　柴田　望

「ひとびとは小熊を読むことによって、実は自己自身に問いかけていくのだ。作品世界の根底に焼きつけられている人間と自然との交渉の最初の姿をみとどけることによって、ひとびとは自己の現在の生が由来しているところ、原初を発見することになるのだ。」（高野斗志美「北海道―その思想的磁場と文学主体…内部の根拠をめぐって」『北方文芸』（北方文芸社）昭和43年1月創刊号）

北海道の文学誌『北方文芸』１９６８年1月創刊号の冒頭に、高野斗志美先生（文芸評論家、旭川大学名誉教授、三浦綾子記念文学館初代館長）の北海道文学論が23ページにわたって掲載されています。その中に１９６７（昭和42）年5月、常磐公園に建立された小熊秀雄詩碑の意義について、こう書かれています。「小熊の詩碑もまた、小熊の作品を読み、その作品世界へと足を踏みいれていく出発点である。」「いままで小熊を知らなかった人々、知っていても作品を読んでいなかった人々、とりわけ若い人々に、小熊を知らせ、作品を知らせ、そしてまずなによりも読む気持ちを触発させるということが、建碑事業の大きい任務なのだ。」

私たちが暮らす旭川の地に、かつて何が起きていたのか。街の様子はどうであった

柴《しば》田《た》　望《のぞむ》

１９７５（昭和50）年、岩見沢市生まれ。旭川市の企業に勤める傍ら、詩の創作、朗読などの発表活動を続ける。２０１７（平成29）年、旭川で詩誌「フラジャイル」を創刊、代表となる。２０２０（令和2）年には、前年に刊行した詩集「顔」で、第57回北海道詩人協会賞を受賞した。

か。どのような人たちが熱き想いを胸に活躍したのか…その世界へと「足を踏みいれていく出発点」、現代の人々が興味を抱く「気持ちを触発させる」という「任務」。旭川歴史市民劇「旭川青春グラフィティ　ザ・ゴールデンエイジ」の上演が実行委員をはじめとする多くの市民の皆様の情熱的な献身によって取り組まれ、見事に成功された、その過程における様々なドラマ…この本に収録の川谷孝司さん、高田学さん、中村康広さん、那須敦志さんによる《市民劇座談会》を拝読しつつ、時代に刻まれた新たな伝説に魂を震わされ、深く感動致しております。もし、本劇の登場人物たちが現代のコロナ禍に生きていたら、何をどう感じて、どう行動するだろうか？　キャストとは似ていただろうか…、劇中の小熊秀雄が黒色青年同盟のウメハラに告げる正義感溢れる台詞や、青年たちを励ます姿勢。弱き女性を助ける佐野文子のリーダーシップ。かれらは現代の問題に対しても真摯に情熱的に対峙したのではないか…そんな空想へ導かれながら、《個性豊かなキャストたち》、各人物紹介も、楽しく読ませて戴きました。

今回、過去の旭川の詩人を演じる現代の詩人として…、沓澤章俊さん（旭川文学資料館学芸員、詩人・木暮純さん）が今野大力を、私はなんと畏れ多くも、萩原朔太郎や川端康成とも交流した旭川を代表する詩人・鈴木政輝を演じる重責を賜りました。東延江さん（詩人、旭川文学資料館前館長）やあさひかわ学研究会で活躍された北けんじさんの著書で想像を膨らませていた、大正、昭和。旭川の詩が最も熱く輝いていた、大雪山系詩人連峰……若き詩人たちが困難な時代を生きた軌跡。アメリカのビートジェネレーションに匹敵するような文学的ムーブメントの一つとして、再評価されなければならない。小熊秀雄没後80周年、今野大力没後85周年の昨年に旭川文学資料館で開催された「小熊秀雄と旭川の詩人・歌人たち」は、時代を超えて詩人・歌人たち一人一人の魅力を現代に伝える、素晴らしい企画展でした。小熊らと同じく劇に登場した詩人、小池栄寿氏に師事した富田正一さんが戦後72年間継続された詩誌「青芽」の後継誌として、私たちは2017年12月に詩誌「フラジャイル」（＝旭川の詩文化を大切に次の世代へ運ぶ《こわれもの》の荷札）を創刊。ちょうどその12月に詩人・吉増剛造氏が来旭され、ジュンク堂書店で『火の刺繍』（響文社）のトークイベントが行われた際、那須敦志さんの著書『〝あの日たち〟へ 旭川・劇団『河』と『河原館』の20年』（中西出版）のことを吉増先生は嬉しそうに語っておられました。全国に注目された旭川の劇団『河』、『河原館』。31年ぶりの市民劇をきっかけに、若き人材により、旭川の演劇界が新たな輝きを増していく、躍動する期待のような感覚を、今回「ザ・ゴールデンエイジ」キャストの皆様とご一緒させて戴きながら、感じておりました。旭川の過去の歴史が現代を、そして未来の旭川を応援する、次の「ゴールデンエイジ」へ向かっていく、その第一歩のご成功を、心よりお祝い申し上げます。

劇に登場した実在の詩人を演じた４人
（左端が柴田望氏）

はじめに

旭川歴史市民劇総合プロデューサー・脚本担当　那須　敦志

大正の末から昭和の初めにかけて、旭川には、キラ星のような若き才能が集い、交錯し、切磋琢磨した奇跡のような一時期がありました。いわば旭川文化史のゴールデンエイジ＝黄金期とでも呼べるでしょうか。

２０１８（平成30）年暮に取り組みが本格化した旭川歴史市民劇は、このゴールデンエイジの旭川が舞台です。作品には、当時活躍したさまざまな実在の人物や、実際にあった場所が登場します。舞台上の出来事も、多くがこの時期の旭川で実際にあったことを下地にしています。

この作品を舞台化するにあたり、わたしたちは旭川ではおよそ30年ぶりとなる市民劇とすることを選びました。それはかつての郷土に生きた人たちの物語を、いま実際に旭川や周辺に住む人たちに演じてもらうことが、大きな意味を持つと考えたからです。

感染防止のためマスクを着けての稽古

さらに時代をピンポイントでクローズアップしたことは、物語のドラマ性を高め、住民劇の新たな可能性を示すことにつながったのではと思っています。

一方、今回の取り組みには、年齢も職業も演劇経験もバラバラな人たちが参加し、長期間に渡って力を結集してくれました。しかし新型コロナウイルスの感染拡大により中断を強いられるなど、その歩みには多くの困難が伴いました。それを乗り越えて公演を行うことができたのは、参加した人たち一人ひとりの真摯な努力、そして周囲の温かい支援があったからです。

この本は、そうしたコロナ禍のもとでの住民劇の取り組みの軌跡を記録に残すとともに、改めてゴールデンエイジをはじめとする旭川の歴史の魅力を多くの方に知ってもらうために編みました。

この本がこれからの旭川の街づくり、そして地域の演劇活動の刺激となってくれれば幸いです。

＊この本の構成

この本は、３部構成になっています。

第１部　旭川歴史市民劇の記録

脚本の執筆や実行委員会の立ち上げから、キャストの公募、予告編（プレ公演）および本公演上演までのロングランの取り組みの軌跡を、運営の中心となったメンバーによる紙上座談会で振り返るほか、キャスト紹介、公演記録などを掲載。

第2部　脚本

旭川歴史市民劇は、キャストの顔ぶれや上演会場、上演時間などを考慮し、オリジナル脚本をもとに、新たな上演用脚本を作って公演を行った。ゴールデンエイジの旭川をより深く知ってもらうため、この本にはオリジナル脚本を掲載した。

第3部　歴史解説

劇に登場する実在の人物や出来事、場所、劇中歌などについて、詳しく解説している。このため、この本は郷土史の本としても楽しめる内容になっている。

第1部

旭川歴史市民劇の記録

旭川と住民劇

旭川歴史市民劇とは

郷土史についての情報発信を続けている那須敦志が書いた戯曲「旭川青春グラフィティ　ザ・ゴールデンエイジ」の舞台化を目指したプロジェクト。

目的は、舞台を通し、多くの人に演劇の楽しさと、旭川の歴史を広く知ってもらうこと。実施にあたっては、有志による実行委員会が主体となり、幅広く市内の企業や団体、個人に協賛を求めたほか、キャスト・スタッフは、経験の有無を問わず広く公募した。

さらにプロジェクトには旭川や周辺で活動している多くの演劇人も参加。結果的に、実行委員、一般市民、地元演劇人の3者、100名超がスクラムを組む大規模な取り組みとなった。

2018（平成30）年11月の実行委員会発足で本格化したプロジェクトのゴールは、当初2020（令和2）年8月の本公演上演だった。しかし新型コロナウイルスの感染拡大に伴って上演は2021（令和3）年3月に延期。このため2年5か月に及ぶロングランの取り組みとなった。

旭川歴史市民劇本公演のフライヤー

旭川の住民劇

旭川での住民劇は、およそ１００年前の１９２３（大正12）年に行われた旭川文化協会による演劇公演が、事実上最初の取り組みと言える。

旭川文化協会は、地元の新聞記者や弁護士、文化人らが結成した団体。今回の市民劇にも登場した詩人の小熊秀雄《おぐまひでお》や、歌人で実業家の酒井廣治《さかいひろじ》、楽器店店主の町井八郎《まちいはちろう》らが参加した。公演は、当時３条通15丁目にあった劇場「錦座」で、７月14～15日の２日間に渡って行われた。上演されたのは、シェークスピアの「ベニスの商人」、イプセンの「人形の家」、山本有三の「女土工」の３作品だった。

２度目の住民劇が実施されたのは、それからおよそ70年経った１９９０（平成２）年７月。旭川開村１００年に合わせて行われた「'90旭川演劇フェスティバル」での「演劇冒険隊」の取り組みである（「'90旭川演劇フェスティバル」は、市内外からプロ・アマの８劇団が参加した８日間の催し）。

「演劇冒険隊」には、公募に応じた多くの市民が参加。北海道にゆかりのある文学座の鵜山仁《うやまひとし》を演出に招き、旭川市民文化会館大ホールでシェークスピアの「夏の夜の夢」を上演した。

大正の取り組みを加えると、今回の取り組みは、31年ぶり３回目の住民劇である。

「演劇冒険隊」による「夏の夜の夢」の舞台（1990年）

旭川文化協会演劇公演の参加者（1923年）

座談会・旭川歴史市民劇を振り返る

◆実施日 ２０２１（令和３）年３月19日（金）
◆参加者 川谷　孝司　制作プロデューサー
高田　　学　演出
中村　康広　事務局長
◆聞き手 那須　敦志　総合プロデューサー・脚本担当

那須　２０２１（令和３）年３月６〜７日、旭川では31年ぶりに行われた住民劇、旭川歴史市民劇について、きょうは、中心的に運営に関わった方々と、振り返りたいと思います。ということで、長く市民劇の稽古や活動の拠点だった**スタジオ・スクラッチ**に３人の方に集まってもらいました。

川谷　孝司

那須　敦志

高田　　学

中村　康広

スタジオ・スクラッチ
旭川市４条通８丁目のビル１階に開設された旭川歴史市民劇の稽古場。

組織立ち上げまでの準備段階　2016・07〜2018・12

◆開催方針決まる

那須　今回の取り組みは、2017（平成29）年春、**前回の市民劇**の事務局長だった**「まちなかぶんか小屋」**の**有村幸盛**さんが、那須と**川谷（孝司）**さんを引き合わせ、その席で那須が書いた脚本を使って市民劇をやろうという話になったのがそもそもの始まりでした。その際、川谷さんは、ピンポイントで時代を切り取っているところが面白いと言ってくれましたよね。

川谷　地域の歴史を描く住民劇というと、マチの始まりからの長いスパンを描くものがほとんどと思います。ただこの脚本は、現在の旭川に至る系譜のコアな部分、熱い核のようなものに絞って書かれていると感じたんです。さらに描かれている時間軸が短いため、濃密に人を描く舞台にできるのではという期待もありました。

那須　同時に、川谷さんは市民劇の形で上演することも提案してくれました。その理由を教えて下さい。

川谷　まず劇の数十名の登場人物を単独でまかなえる劇団は旭川にはないということですね。で、複数劇団の合同公演でやるとしたら、いっそのこと市民劇にして、既存の演劇人だけではなくさまざまな人が関わったほうが面白い。旭川の演劇界の裾野を広げることにもなると思いました。

前回の市民劇
1990（平成2）年7月に行われた公募に応じた市民を中心にした舞台。出し物は「夏の夜の夢（シェイクスピア）」だった。

「まちなかぶんか小屋」
2013（平成25）年にオープンした買物公園のホットなイベントスペース。

有村幸盛
「まちなかぶんか小屋」の運営主体である「まちなかぶんか推進協議会」の事務局長。旭川の文化活動の牽引役の一人。

川谷（孝司）
旭川で大道具制作や舞台美術、舞台監督などの業務を行う舞台イベントのプロ。地域の舞台芸術活動を盛り上げる仕掛け人。

◆演出担当の決定

那須　で、差し当たっての懸案は、演出を誰がやるかという点でした。住民劇の指導経験が長い札幌の**NPO法人コンカリーニョ**の**斎藤ちず**さんのところに、川谷さんとアドバイスを受けに行ったときにも、「どうしてもいなければ私がしても良いが、旭川の市民劇ならば旭川の人が演出すべき」と言われましたよね。

川谷　僕も、演出を含めて可能な限り地元人材で取り組みたいとの思いがありました。何人か候補が浮かぶ中で、**高田（学）**くんに声をかけたのは、演出経験はあるがやはり役者が好きという人が多かったのに対し、役者もやるが、脚本を書き、演出もするという、創作部分に重きを置いている人が高田くんだったということですね。

那須　ただ声をかけられた高田さんは、最初は断った（笑）。

高田　断りましたね（笑）。自分は少人数の芝居の演出しかやったことがない。それがこの劇では数十人、それは僕じゃないでしょ、と。旭川にも大人数の舞台の演出経験のある方がいるので、僕が断ったらそういう人たちに話が行くだろうと思いました。ただ次、誰に声をかけるか聞いたら、「札幌の方に頼むかな」と。それは旭川の市民劇としては中途半端ですよね。それと市外の方に頼んだら、旭川への通いとなるので、演出家がついての稽古は少なくなる。だったら僕が受ける、そういう気持ちになりました。

NPO法人コンカリーニョ
札幌市西区で、アートの力を社会に活かすコミュニティ作りを目指す劇場・アートスペースのコンカリーニョを運営する団体。

斎藤ちず
NPO法人コンカリーニョの理事長。北海道の舞台芸術活動を引っ張る演出家、プロデューサー。

高田（学）
1997（平成9）年に「旭川ステージワーク」、次いで「劇工舎ルート」に所属。役者、演出、脚本と幅広く活動する旭川演劇界の中核（脚本は「赤玉文太」名義）。

◆実行委の体制づくり

那須　この頃、那須は実施主体となる実行委員会の体制づくりに当たっていました。最終的には20人。バラエティに富んだ、それぞれの分野で影響力を持っている方が集まってくれました。委員長は、旭川の企業の中でもメセナ活動を積極的に行っている旭川信用金庫の**原田（直彦）理事長**にお願いしました。忙しい身ながら、実に献身的に動いてくれて、お願いして本当に良かったと思っています。

◆事務局体制の構築

那須　一方、事務局長は高校演劇の指導経験が長い、**中村（康広）先生**にお願いしました。中村先生をトップにこれも多彩な方々が集まりましたね。

中村　当時は何が何だか分からないうちに話が進んでいった印象です。正直、事務局というものが何をするのかよく分かっていないまま始めてしまったので、いろいろな人に迷惑をかけてしまったのではないかと。その中で、事務局に参加していただいた方々には本当に助けられました。良いメンバーが集まってくれたと思います。

◆実行委立ち上げと制作発表

那須　そして２０１８（平成30）年11月に実行委員会が正式に発足。12月には記者発表がありました。記者発表では、旭川の演劇人による**リーディング**も行われま

原田（直彦）理事長
２０１３（平成25）年から現職を務める。旭川なかまど文化賞協議会の委員を務めるなど、文化・芸術活動の良き理解者でもある。

中村（康広）先生
士別高校教員時代に演劇部の顧問となり、その後も長く高校演劇の指導に当たる。退職後もさまざまなアマチュア演劇に関わるなど、旭川の演劇界に欠かせない人。

記者発表（平成30年12月）

リーディング
朗読劇の意味。ここでは市民劇の脚本の一部を、動きを伴わない形で演じたことを指す。

した。同じ月には、旭川市教育委員会への支援要請も行いました。市教委、そして市には、予告編や本公演の共催者という立場になってもらいましたが、これも大きな支えとなりました。

公募開始からプレ公演実施まで　2019・01〜2020・02

◆オーディションとメンバー決定

那須　続いて2019（平成31）年1月から、予告編（プレ公演）が行われた2020（令和2）年2月までを見ていきます。実際に活動がスタートして、まず取り組んだのが参加者の公募とオーディションの実施です。公募開始が2019（平成31）年4月。2か月後にはNHK旭川放送局のスタジオを使わせていただき、オーディションを行いました。

高田　オーディションをする側になったのは初めてだったので、まずどこを見たら良いかを考えました。その結果、市民劇ということを考えたときに、うまいへたよりも、いかにこの企画に一生懸命になってくれそうかを見るべきという気がして、その基準で選ばせてもらいました。

川谷　そもそもどれくらいの応募があるか不安もあった中で、あれだけ集まってくれたことに感動しました。しかもほぼ全てが知らない顔の人たち（既存の地域の演劇人ではない人たち）。変な言い方ですけど、旭川、捨てたもんじゃないな

オーディション（令和元年6月）

という気がしましたね。

◆稽古場開き

那須 オーディションの翌月には、ここスタジオ・スクラッチの稽古場開きがありました。スクラッチは原田実行委員長の尽力で、お借りすることができました。稽古場の確保は準備段階からの懸案になっていましたが、専用の稽古場、しかも旭川のど真ん中という絶好の場所を確保できました。

高田 交通の便がとにかく良いのと、あと広くて明るい。芝居の空気感を作る上でも良かったと思います。

中村 ガラス張りでバス停が目の前なので、乗り降りする人の目に中が丸見え。通りがかりの人が、稽古の様子をじっと観ている姿をよく見かけました。それだけでもPR効果があったと思います。

那須 ただ長く空きスペースになっていたところなので、空調がダウンしたままでした。なので、暑さ、寒さという点では苦労がありましたよね（笑）。

中村 寒さ対策では、川谷さんが作った**ビニール製のシールド**に驚きました。使ってみてこんなに違うのかと。稽古をしているシールドの中は気密性が高まって温かいが、外で事務局の会議をしている我々のところはストーブがあっても寒くて震えていました（笑）。

稽古場開き（令和元年7月）

ビニール製のシールド
大道具制作のプロである川谷制作プロデューサーが、木材とビニールシートを使って手作りした。稽古場のうち、舞台に見立てたフロアを囲むように設置された。

◆プレ公演の稽古始まる

那須　そんなスクラッチでは、まず道内で活動する**3人の演出家**を招いてのワークショップを行いました。そして10月からプレ公演の稽古が始まりました。本公演とは別に、プレ公演を設けた狙いはどんなところにあったんでしょう？

川谷　共催の申請をしていた北海道文化財団さんから、「年度内にも何か行ってはどうか」という提案をもらったんですね。で、最初はリーディングをしようみたいな話があって、それがだんだんお芝居チックなものになってきて…。それと、この芝居は事前に内容や作品の成り立ちなど、知ってもらえたほうが良いことがたくさんあった。結果的には本公演の予告編と銘打った芝居になりましたが、2つをセットで観たらより楽しめるものになったと思います。

那須　プレ公演をやる上では、脚本をどうするかが大きな問題でしたね。

高田　僕はせっかく公演と銘打つなら、これしか観ない人も楽しめる、本公演も観る人は2倍楽しめるものにしたかった。なおかつ本公演にいくつかのテーマがあるように、プレ公演にもテーマを作りたかったんです。そのときに思いついたのが**星野由美子**さんの存在です。星野さんは、劇に描かれた大正末から昭和の始めと、現在が地続きであることを体現している方。その人を劇の背骨として本人役で登場させる。これを思いついた時にプレ公演は成功したと思いました。

那須　具体的には、予告編の脚本は、本公演の脚本や**齋藤史**《さいとうふみ》の生涯を描いた那須の別の脚本を素材として使ってもらって、高田さんに書いてもらいました。中でも

ワークショップ（令和元年８月）

3人の演出家
NPO法人コンカリーニョ理事長の斎藤ちずさん、yhs代表の南参さん、富良野GROUPの久保隆徳さんの3人。

星野由美子
1927（昭和2）年に旭川で生まれた女優、演出家。伝説の劇団「河」を率いた旭川演劇界のレジェンド。

齋藤　史
旭川で2度暮らした日本を代表する歌人。今回の市民劇の主要な登場人物の一人。

星野さんを軸にするプランは見事だったと思います。そしてその脚本を使っての稽古が始まりました。演劇未経験のキャストも含めた指導についてはいかがでしたか？

高田 最初に僕を信頼に足る人と思ってもらう、という関係づくりから始めました。そのために、まずどんなに集まる時間がバラバラでも稽古の終わる時間はきっちり守ろうと。そのことで約束を守る人だと思ってもらう。それからお芝居って楽しいことだと感じてもらうことも大事にしました。一方で、自己満足で終わりにはしたくはない。自分たちが楽しくて、かつお客さんにも楽しんでもらえる、その両立を目指しました。

◆星野由美子さんの参加

那須 今回の市民劇では、演劇未経験者を含む公募メンバーを中心に、普段旭川や周辺で演劇活動を行っているサポートメンバー、**旭川の詩人グループ**など制作班からオファーを出した方々等、さまざまな立場の人が出演しました。その中で、先程も話が出たように、旭川の演劇界のレジェンドでもある星野由美子さんにも出演してもらいました。星野さんについてはどうお感じだったでしょう？

川谷 プレ公演の稽古総見のときだったと思いますが、高田くんを「先生」と呼んでいたのが印象的でしたね（笑）。そのときはかなり真剣な目で稽古を見ていて、誰か端っこに呼んで説教、じゃない指導（一同笑）をしている姿がありました。

稽古を見つめる星野さん（右端）

旭川の詩人グループ
旭川の詩誌「フラジャイル」同人の柴田望さんと沓澤章俊さんのこと。

そういう立ちふるまいだったり、自分の役割も分かっていらして、すごく自然な感じがしました。

高田　実は、プレ公演の本番の直前に、星野さんに台詞の間について聞かれたんです。劇の最終盤に一言だけの台詞ですが、ご自身は間を長く取りすぎていると若い演出家は嫌がると思ったようで、「どうしても長く間を取ってしまうのだが」という話をされたんです。僕は意味のある間は大好きなので、「星野さんの間で、台詞を言いたくなったら言ってください」と返した。そうしたらうれしそうに両手で僕の手を取ってくれました。

◆プレ公演本番

那須　そんなことがあったんですね。そして、そうした多様なメンバーによるプレ公演の本番が、2月15～16日に行われました。どれくらいの人が観てくれるか不安でしたが、2日間ともほぼ満席でした。

中村　とにかくびっくりしましたね。旭川で何度も芝居を観ていますが、あの小ホールが（演劇公演で）満席になるのを見たのは初めてでした。

高田　僕は、プレ公演は本公演のつかみだと思っていたので、コミカルな感じで仕上げたんです。でもそれは背景に、史実をちゃんと扱った脚本があるという安心感があったからできたことです。また市民の中には、旭川の歴史をちゃんと知りたいという興味、裏返せば自分たちは旭川の歴史について十分には知らない

プレ公演の舞台（令和２年２月）

という思いがあることも分かってきていました。だからプレ公演では、実在の人物と架空の人物を明確にすることで、本公演では、この人は実際にいた人、この人はいなかったというように分かりやすくしたつもりです。

感染拡大による活動中断期間　2020・02〜07

◆コロナによる活動休止

那須　続いては、プレ公演の終了後から7月までを見ていきます。プレ公演が終わった直後、新型コロナウイルスの感染拡大という予期せぬ事態に直面します。2月27日に北海道で初めて2桁の感染者が確認され、28日には北海道独自の緊急事態宣言が出されます。これに伴って市民劇の活動も休止状態になることを余儀なくされました。この頃、皆さんはどういうことを考えていたのでしょう？

川谷　実は自分のことを言うと、2月のこのあたりから3月にかけて、のきなみ**仕事**が無くなっていったんですね。で、あらあらと思っていた。そして本公演をやる8月にどういう状態になっているのか予想が一切できない状態になった。先が見えない、どうして良いかわからないといった時期でしたね。

高田　稽古ができない時期だったので、僕自身は、脚本を読むことしかできないなと思ってそうしていた。那須さんのブログを見たり、プレ公演の脚本を読み返したり、本公演の原点部分を確かめる時間に充てていた。ただ役者たちがどうい

仕事
大道具制作、舞台美術、舞台監督といった川谷制作プロデューサーの本業のこと。

中村　うモチベーションでいるのかわからず、そこは不安でしたね。不安だったというお二人には申し訳ないが、大変な状況ではあるが、僕はこの人たちが（公演を）止めるとは絶対に言わないだろうと思ってました（一同笑）。どんな状況でも、なんか（方策を）探してやっちゃうだろうと。だからあまりドキドキはしていなかったように思います。

◆公演延期の決定

那須　こうした中、5月になって、8月の本公演の2021年3月への延期が決まりました。経緯について教えて下さい。

川谷　懸念事項では、まずお金の話が大きかったんですね。大きな額の補助金をいただくことになっていましたので、それがどうなるのか。年度を超えても補助できるかも、という話もあったんですが、はっきりしていない以上、最大延ばしても年度内には公演を行う必要があると判断しました。もう一つは、年度をまたぐと、転勤や進学といったことで、参加者の状況が大きく変化することが分かっていた。3月まで延ばしても芝居ができるという保証はないわけですが、とにかくそこを目指そうと。

高田　延期になりましたが、僕はできるんだろうなと思っていました。そういう運は強いほうですし、2月のプレ公演もぎりぎりのところで上演できましたしね。また自分がそう思っていないと、多分疑いって伝播するとも思っていました。

無人の稽古場

ただ方法としては、いろいろなことを考えておかないといけないと川谷さんと話してました。例えば、当日、誰かが出られなくなりました。その時どうするかは考えておきましょうと。

那須 それは具体的にどうしようと？

高田 例えば齋藤史がいないとする。代わりにシルエットでなんとかしようと。要は幕に史っぽいシルエットを映して誰かが台詞を語る。周りはそのシルエットに対して芝居をする。思い出の中の史として登場させる、そんな手を使うしかないよねと話してました。

那須 僕は、直前に誰かがコロナに感染して休まざるを得なくなった場合、代役が難しいのであれば、上演できなくなる事態もありうると思ってました。

川谷 それを避けたかったんですよね。そうなると、コロナにかかったキャストの心の負担が重すぎると思ったんですよ。だからそういう状況でもやらないと、と思って、高田くんとあらゆる場合を想定していました。なので、極端な話、本番前日に脚本変更ということになるかもしれないと。

那須 なるほど。中村先生は、延期についてはいかがでしたか？

中村 今思うと、無理すれば、**大ホールという選択肢**もあったわけですよね。それを小ホールにしたというのは英断だったと思います。

川谷 これについては、議論がありましたよね。パンフレットに名前を載せる企業や個人の広告協賛については、すでにキャパが１５００人の大ホールで公演する

大ホールという選択肢
年度内での延期方針が決まった段階で、3月の小ホールの他に、1月に市民文化会館大ホールで上演するという選択肢もあったことを指している。

ことを前提に集めていましたから。キャパが5分の1の小ホールで、しかも客席を半分にして使うとなると、やはりお金を出してくれた方々に説明が必要になる。結果的にはそうしたケースはありませんでしたが、返金にも応じることにしました。

那須　協賛金については、会場の変更でチケット収入が大幅に減ることになったので、当初の目論見よりさらに多くの方々の協力が必要になりましたよね。

中村　そこは実行委員の方々が非常に頑張ってくれました。皆さん、我々の状況をよく理解してくださって、協力してくれました。

高田　それはやはり今回の市民劇が、旭川の歴史を扱った劇だということが大きかったと思いますよ。そのことで、力を合わせて取り組みを進める意味があると感じてくれたんだと思います。

◆中断中のさまざまな活動

那須　ということで、公演の延期は決まりましたが、稽古の中断期間は3月からの4か月間に及びました。この間、川谷さんを中心に、**オンラインのキャストミーティング**、同じく道内外の演劇関係者に呼びかけての**ネット座談会**、**キャスト向けの動画**の制作・配信、やはり**オンラインの歴史セミナー**の実施、さらに**市民劇の現状を伝える動画**の制作・配信等、多岐に渡る取り組みが行われました。これには、どんな思いがあったんでしょうか？

オンラインのキャストミーティング
ネット会議システムを利用したキャストとの打ち合わせ会議のこと。

ネット座談会
同じくネット会議システムを利用したオンライン座談会のこと。5月と7月に2回開催し、ともにライブ配信された。

キャスト向けの動画
「井盛先生のメイク教室」と「あんざい先生の基礎トレーニング教室」の2本が制作された。

ネット座談会①（令和２年５月）

川谷　僕の中では、まず座談会ありきだったんですよ。というのは、この時期、コロナの影響で、文化・芸術の力って何なんだろうと、迷いが生じていたんですよね。で、僕はいろいろな演出家の方と繋がりがあったので、そうした人たちの意見を聴こうかなと。その頃、ネット配信でどうのとか、Zoomでどうのとか、**演劇界や音楽界でいろいろと模索**されていたわけです。でも座談会では、お芝居ってやはりそうじゃないよねと。やはりそこに舞台があって、お客さんがいて、役者がいて、同じ空間の中で、同じ時間を体験するということが演劇と呼ばれるものじゃないの、というところに話が落ち着いた。で、僕も基本に立ち返ることが出来たわけです。一方、キャストのことを考えると、いつ再開するかわからないという状況の中では、みんな心の拠り所がないだろうと。なので、市民劇の取り組みは今こうなっている、今こう動こうとしているということを少しずつ伝え始めました。

◆キャスティングについて

那須　この時期には、本公演の配役を決めてキャストに伝えるという動きもありました。このタイミングと狙いについてはいかがですか?

川谷　やはり、モチベーションを保つということですね。市民劇の取り組みがちゃんと動いているんだということを認識してもらう。そのうえで、それぞれの方に責任を持って取り組んでもらう、ということだったと思います。

オンラインの歴史セミナー
市民劇関連の歴史講座。2020(令和2)年3月以降は、コロナ禍により、原則オンライン配信の形で開催した。

市民劇の現状を伝える動画
「稽古場再開の準備について編」、「ソーシャルディスタンスの方法編」、「感染防止対策取り、まもなく稽古再開編」の3本が制作された。

Zoom
パソコンやスマホを使ってオンラインの会議やセミナーを行うアプリのこと。コロナ禍により人と人との接触が制限される中で、活用が進んだ。

演劇界や音楽界でいろいろと模索
これもコロナ禍で人と人との接触が制限される中、動画配信やオンラインライブなどの取り組みが行われたことを指す。

那須　キャスティング自体について、高田さんはどういう思いでしたか?

高田　あまり迷うことはなかったですね。やはりこの人はこの役をやる、というのが見えたということがあったり、このシーンはこの人がこんなふうに演じるんだろうなというのが、プレ公演をやった中で見えてきていましたから。

那須　ただ今回は30人という登場人物が出る劇で、公募のキャストだけでは足りないで、何人かのメンバーがこの時期にも加わりました。

川谷　結果的には多くの方が参加してくれましたが、なかなか旭川の演劇界で活動する既存の役者の方々の腰が重いということがありました。なので、矛先を演劇界以外の所にも向けようと思ったんですね。結果的に、フラジャイルのお二人とか、**滝本(幸大)**くんとか、いろいろな方面でやってみたいと言ってくれる人が出てきた。まあ、揃ってよかったなというのが、今の思いですね。

稽古再開と再度の活動中断　2020・07~12

◆稽古再開

那須　続いては2020年の7月から年末までです。7月は、稽古が再開された月ですね。最初はコロナ対策もあって動きをつけた稽古は行わず、**本読み**からでした。

高田　これは、まず川谷さんの工夫に頭が下がりました。本読みを始めるに当たって、

滝本(幸大)
旭川で映画の自主上映の活動をしている市民劇参加メンバー。演劇経験はなかったが、プレ公演、本公演とも出演した。

本読み
この場合は、キャストによる脚本の読み合わせのこと。

那須　飛沫対策のための**ビニールシートと木枠を使ったシールド**を作ってくれました。

高田　本読みはどのくらいやったんでしたか？

那須　ひと月ではおさまりませんでしたね。１回の稽古に参加できる人はそう多くなかったですし、コロナのこともあって、この間全く参加できなかった人もいましたから。でも逆に言えば、じっくり脚本と向き合うことが出来た。

川谷　この時期、川谷さんはやはり手探りで？

那須　まさしくそうでしたね。ネット上にいろいろ（感染対策の）情報は出てきてたんですけど、お芝居関係の人が稽古をしている様子は出てこない（笑）。隠してるわけじゃないんですけど、みんなが手探りだったと思うんです。で、僕らは前にも言いましたが、できるだけオープンに活動をしたかった。で、稽古を再開した様子などをネットにあげたんです。

那須　マスクを着けての稽古は、結果的に最後まで続きました。これについては、どうお考えですか？

高田　たぶん、プレ公演のような、短い準備期間しかなかったのであれば、厳しかったと思います。でもそのプレ公演を経ての本公演なので、付き合いはかなり長い。なので、マスクしてても、なんとなくどんな顔をしているか分かるんです（笑）。またマスクによって伝えられないような演技では駄目。マスクをしていてもちゃんと伝えられる、そういった目標ができたということもありました。

ビニールシートと木枠を使ったシールド
防寒対策のシールドを再利用して、川谷制作プロデューサーが作った。本読みをするキャストのための飛沫防止具。

飛沫防止のシールド

◆再度の稽古中断

那須　で、手探りながら進めていた稽古ですが、再びコロナ感染に前を立ちふさがれる事態となります。具体的には、10月下旬以降、全国的に感染が急拡大し、旭川でも11月上旬から市内の医療機関や福祉施設で相次いで国内最大級の**クラスター**が発生します。市民劇も、11月19日には再びの稽古中断を決定します。また12月には、市民劇に参加している若者たちが立ち上げた劇団の旗揚げ公演が、コロナの影響で延期されるという出来事もありました。

川谷　実は、当初から、10月あたりに一度（その後の活動について）見直すということは決めていたんです。で、よく行われるようになっていた無観客での上演をネット配信するというやり方、これは観客の皆さんの安全を保てないので無観客なんですが、我々の場合、観客も市民なら出るキャストも市民なんですね。なので無観客ってありえないよねと。ということで、普通の形でやるかやらないかということになったわけで、まあ皆やろうと。で、ここまでの経過を見ると、コロナには波があるとある程度分かってきた時期で、２０２０年の2～3月の時よりは余裕があった。なので「まずは、ここは休みましょ」ということになったと思います。

高田　僕はこの時期、はじめてリアリティを持って不安になりました。でもその一方で、ポジティブで不謹慎な思いも頭をもたげてくるんですよ。「ああ、これで少し体を休ませることができる」とか（笑）。バネを引き絞るように、「（稽古

クラスター
コロナ感染の集団発生のこと。

が）できないことでストレスを感じてくれたらラッキーだな」とか、そういうことを思ってました。

川谷　この時期ですね。先程言ったあらゆる想定を高田くんと詰めていたのは。

高田　川谷さんには悪いけれど、僕はそれで燃えていました。脚本を前日直すことになったとしても「やってやるぜ」と（笑）。

川谷　ここに至るまでも、たとえばメンバーの中にいた医療・介護関係とか、学校関係とかの方は、稽古に参加しづらい状況にはあったわけで、実際、稽古をずっと休まれていた方もいました。なので稽古を中断しても、状況がびっくりするほどは変わらないという判断はあったんです。ただ無理をするということではなく、できるだけやる方向で考えておかないと駄目だなとは思っていました。

◆感染おさまらない中での稽古再開

那須　そうした中で、12月12日には、稽古を再開するという決断をしています。スクラッチは使わず、公的な施設を使ってという形でしたが、11月よりは感染者の発生が少なくなったものの、まだ高いレベルではあった時期でした。

川谷　これはいわゆるケツカッチンの状況があって、僕の中では、稽古日数を確保するためにはもうやらないと、ということがありました。一方、先程のオープンにやるということとは逆なんですが、再開した稽古は、ここ（スクラッチ）ではやらないということは決めていました。それはやはり下降線になったとはい

旭川市民文化会館での稽古

え、コロナがおさまっていない状況の中で芝居の稽古をするということに対する世間の目ですよね。そこを避けたいということで、不特定多数の人が覗くことができるスクラッチではなく、公共施設の閉じた空間で稽古を再開させました。

高田 僕は、川谷さんの提案は、ある程度どんな提案でも受け入れようと当初から思っていたんです。だから止めるってなったときは、それはうかつにした決断ではないと分かってますし、逆にやるっていうときも相当な覚悟があるのは間違いない。例えば10回の稽古が5回になってしまうとする。そうした中でいかにやるかを考えるのが自分の仕事なんだろうと思っていました。

川谷 11月の時のようなひどい状況であっても、僕らがやれることは同じなんです。マスクをして、手洗いして、消毒してといった対策を徹底するのが基本。だとしたら稽古自体は同じような形をしっかり続ければ良い。ただし世間の目は気にしていかないといけない。そうした中で、12月中旬にジュニアキャストが決まりました。まず**（田中）銀河**くんが参加してくれた。そして**堀田綾子**ちゃん役には4名の方が応募してくれた。この状況下で、お芝居をやりたい、やらせたいと思ってくれる親子が複数いたということがうれしくて、僕の中ではものすごい推進力を与えてもらいました。

（田中）銀河
演劇部に所属する旭川の高校1年生（本公演出演時）。日章小学校に通う11歳のヴィクトル・スタルヒンを演じた。

堀田綾子
市民劇に登場した実在の人物の一人。旭川生まれののちの国民作家、三浦綾子のこと。

稽古の追い込みから本番まで　2021・01〜03

◆感染の不安続く

那須　続いては、最後、2021年の年明けから本公演の本番までの期間を見ていきたいと思います。

川谷　この時期、僕は仕事の関係で、ホールで行われるイベントに関して、「なぜこんな時期にやるんだ」といったクレームが来ていると耳にしました。そうしたクレームを言ってこられるような厳しい目を持っている方にもちゃんと説明できるように、しっかり準備を進める必要があるなと思っていました。またキャストですが、この時期もさまざまな事情で稽古を休む方がいましたが、舞台に立ちたくないという方は一人もいなかった。あとは場を整えることが本当にできるかというところでしたね。

那須　今回、稽古場などの感染対策は徹底した一方で、キャストに対して「コロナにかからないようにしましょうね」といった呼びかけは、最終盤は別としてしなかったですよね。

川谷　コロナ対策で、個人個人がやれることは限られている。それはずっと間違いなくみんなやっているはずなんですよ。なので、それをやっててコロナにかかるんなら、もう交通事故でしかないと思ってました。またコロナの感染者に対する差別という問題がありましたから、キャストの中にもその怖さはあったと思

活動期間中、稽古場に置かれた御礼

うんですね。だからせめてここ（市民劇の集まりの中）では、そのことを負担にさせたくなかったわけです。

高田 コロナ関係ないって言ったら語弊がありますが、最大限、個人ができる対策はするという前提で、普通に稽古をすることしかなかったですね。息苦しいからマスクもいやです、みたいな、そんな意識の低い人は一人もいなかったですから。あとは本番に向けて、いかにモチベーションをあげていくかでした。

◆仕上げの稽古

那須 稽古が仕上げの段階に入る中で、キャスト、特に公募のキャストについて、成長ぶりはいかがでしたか？

高田 これはもう変わりましたね。今回は、経験ゼロのキャストについても、お客さんに「そうか時間がなかったんだね、しょうがないね」とだけは思わせたくなかったんです。ただ経験がない人ほど、努力をいっぱいしているんですよ。経験者に追いつかなきゃと思って。

中村 今回公募で集まった方は、年代がバラバラで、これがすごく良かったと思います。それと、事情によりやむを得ず離脱された人はいましたが、それ以外はこの長丁場をみんな最後まで参加してくれた。これはすごいことでした。

高田 年齢がバラバラだから、キャストの間でもファミリー的な雰囲気がありましたよね。お父さん的な役割の人が生まれたり。

稽古総見（令和３年２月）

川谷　それで言うと、終盤、**綾子ちゃん**が来たときに、見事にハマりましたよね。家族にやっと子供ができたという感じで（一同笑）。

綾子ちゃん
5歳の堀田綾子を演じたジュニアキャストの池本夏希ちゃんのこと。

◆星野さん他界

那須　こうした中、1月下旬、プレ公演に出演した星野由美子さんが93歳で亡くなるという出来事がありました。本公演でも何らかの形で舞台に関わってもらいたいと模索していたわけですが、叶いませんでした。

高田　これはね、プレ公演で嘘ついちゃいました（笑）。本公演にも星野さん出るって言っちゃいましたから。でもやっぱり一緒にやりたかったですよね。星野さんが出演することによって、そこで一つのリンクがちゃんと閉じるはずだったのになあという思いです。でも本公演を上演できたことで、星野さんから渡ったバトンはちゃんと次に向けて旅立つことが出来たと思います。

◆本公演

那須　そして、いよいよ3月、本公演の2回のステージが行われました。本番でも、出番直前までのマスク着用や、密をさける楽屋の椅子、机の配置等、きめ細かなコロナ対策が取られました。

川谷　今、舞台芸術活動は、どこでやってることでも結局正解を提示できない中でやっていると思うんですよね。いろんなところで（コロナ感染対策の）マニュアル

本番中も出演時以外はマスクを着用した

が出来ているんですけど、そのとおりやって安全かどうかの保証はないわけです。なので我々も何かあったら、自分自身で責任を取ることになるわけですから、できる限りのことはしておこうということですね。

那須　さらに公演では、函館で演劇ユニット41×46を主宰する伊藤嘉大（館宗武）さんなど、コロナ禍のもとでの公演の経験を持つ方々が力を貸してくれました。
中村先生、観客がらみの部分はどうでしたか？

中村　いろいろやりましたが、お客さんはそれほどナーバスではなかったですね。ちょうどあの頃、旭川の感染状況がかなり下火になっていたこともあったと思います。まあその中でも、完全予約制で、検温があって、行く先々に消毒液が置いてあって、スタッフもマスクとフェイスシールドという物々しさだったので。これだけやってるんだということで、不安を感じさせることはなかったのではと思います。

高田　実は、本番のあと、道内の別の地域で行われた住民劇を観に行ったんです。旭川に比べると、指定席ではなかったりして、安全対策という面では少々ゆるい面がありました。旭川を経験しているから余計に思うんですけど、そうするとやはり「大丈夫かな」という思いが出てくるんですね。不安な気持ちを防ぐという意味では、あそこまで徹底してもらって本当によかったと思いました。

那須　で、そうした中で行われた本番なんですが、お客さんのパワーを貰って、キャストが実に熱の入った演技をしていました。高田さんは客席から観ていて、ど

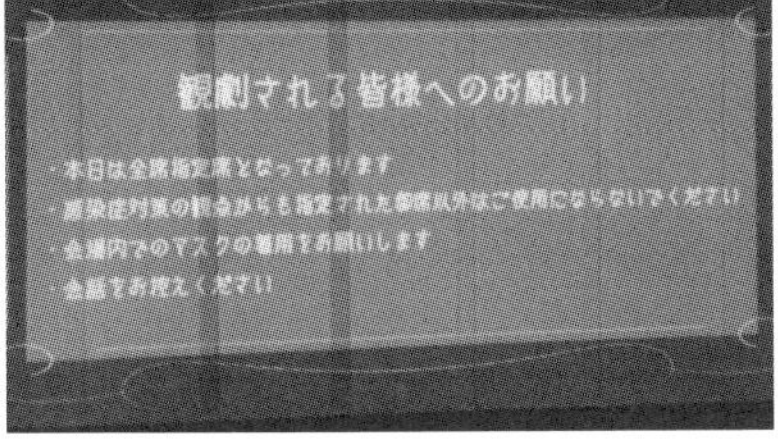

観客へのお願い（令和３年３月）

うでしたか？

高田　これは本当に良かった。お客さんが入ったことで、例えですけど、役者がお客さんと会話しながら、ここまでやっていいんだと開放された感じでした。僕が思い描いた、やってる人が楽しくて、観ている人も楽しい、それが市民劇だという思い、それをみんなに体現してもらえた気がしました。

中村　初日が148人、2日目が144人。もちろん間引いているのだけれど、ほぼ入れることのできる限度いっぱいの方に観ていただいた。で、なによりもびっくりしたのは、出てくる人、出てくる人、みんなアンケートに答えてくれたこと。プレ公演のときに満員になるのを初めて見たのに続いて、本公演でこんなにたくさんの人がアンケートを書いてくれた。その2つを体験させてもらって、僕は本当にうれしかったですね。

川谷　僕も初日の終演後のお客さんの拍手を舞台の袖で聞いていて、その拍手の質感が今までに経験のなかった質感だったんです。で、急きょ、一度引っ込んだカーテンコールのキャスト陣に、もう一度出てもらった。舞台の幕が開いて、**高井さん**とお客さんの緊張感がまずびしびし来ているところから始まって、そのカーテンコールまで。本当に客席にお客さんが入って、それで最後のピースがはまって、劇が完成したというか、そんな思いでしたね。

高井さん
本公演で、活弁士、演歌師、金魚売りの3役を演じた俳優陣のリーダー格、高井尚樹さんのこと。

取り組みを振り返って

那須　あとは取り組み全般を振り返って、いかがでしょうか。

高田　解散式のときは30人の生徒を2年半面倒見て送り出す気分で、先生ってこんな気分なのかなって。ちょっと言葉に詰まってしまいました。僕にとっては、本当に心からやってよかったと思えるお芝居でした。

川谷　コロナも含めて、普段経験できないことをいっぱい経験できたと思います。それがどんなときに役立つかはわからないのですが、仕事の糧にもなったし、ここまで生きてきた中での糧にもなりましたし、みんなにもそうであってほしいと思います。またこのコロナの中でこういう活動をやったことについては、誇らしく思ってほしいと思います。

那須　記者発表のときに言ったことですけど、この劇は、旭川の歴史が書かせてくれたと今も思っていて、それがきっかけで、これだけの人が関わって舞台にすることができた。で、そのことでみんな何かしら得るものがあったとしたら、この劇にものすごい価値を与えてくれたわけです。なので、関わってくれた全ての皆さんに感謝です。それと、やはり劇にしてこれだけみんなが楽しんでくれる歴史がこの旭川にあるってことですよね。それは胸を張っていいことだと思います。

川谷　前回の市民劇から約30年ということでしたが、那須さんのきっかけがなかった

解散式
本公演2日目の本番の直前に行った旭川歴史市民劇のスタッフ・キャストのお別れ式。コロナ対策で打ち上げができなかったため行われた。

解散式であいさつする高田氏

ら何も起きていなかったわけですよ。なのでここからまた何年後かに、何が起こるかはわからないですけど、誰かがまたこのことを覚えているうちに、演劇でなくても良いので、なにかこうやって人が集まって一つのものを作るということがあると良いですよね。

高田 今回、市民劇をやったのは、次の世代に演劇という文化をつなげていくという意味もあったわけですよね。そういったところでは、僕は**「シベリア基地」**さんの旗揚げ公演をぜひ観たいです。川谷さんが言ったように、演劇でなくてもいいんですけど、今回の取り組みをきっかけに、なにか始めようとしてくれれば、種を蒔いたことの意味があったと思います。

川谷 演劇未経験だった方が、今回の公演を経験したことで、日常生活での人との接し方など、どう変化するかというところも興味ありますね。いずれそういったことも聞いてみたい。

那須 じゃあ、今回は打ち上げもできませんでしたし、コロナがおさまって飲み会ができるようになったら、同窓会的に集まりましょう。きっとまた違ったみんなに会えると思います。

「シベリア基地」
公募キャストとして旭川歴史市民劇に参加した野口博人くん、細野葉月さんらが立ち上げた期待の劇団。

本公演までの軌跡

上演までの歩み

2016（平成28）年

・7月　「歴史群像劇　旭川グラフィティ　ザ・ゴールデンエイジ」（のちタイトルは「旭川青春グラフィティ　ザ・ゴールデンエイジ」に変更）の初稿を、のちに旭川歴史市民劇総合プロデューサーとなる那須が脱稿。以降、旭川の演劇関係者等に脚本を渡し、舞台化の道を探る。

2017（平成29）年

・4月8日　1990（平成2）年の市民劇で事務局長を務めたまちなかぶんか小屋の有村幸盛、舞台芸術の分野で幅広く活動する川谷大道具の川谷孝司（のちに市民劇制作プロデューサーに就任）と那須が意見交換。市民劇の形で上演を目指すことを確認。

・5月25日　那須と川谷が、札幌で演出家、プロデューサーとして活動し、住民劇指導の経験が豊富な斎藤ちず氏（NPO法人コンカリーニョ理事長、のちに旭川歴史市民劇アシスタントプロデューサーに就任）からアドバイスを受ける。以降、実行委員会、制作班、事務局等、制作体制の構築を図る。

2018（平成30）年

・10月23日　実行委員会発足準備会を開催。

・11月1日　第1回の実行委員会を開催。旭川信用金庫、原田直彦理事長が委員長に就任。

・12月3日　市内で活動する演劇人を集め、記者発表用脚本リーディングの稽古実施。

・12月6日　実行委員長の原田、総合プロデューサーの那須、演出担当の高田が出席し、制作記者発表。合わせて脚本の一部をリーディング（まちなかぶんか小屋＝以下M）。

・12月21日　原田実行委員長と那須が旭川市教育委員会に支援を要請。

2019（平成31・令和元）年

・1月13日　前年12月に死去した実行委員会顧問の管野浩さん（劇団「やまなみ」元代表）のお別れの会が開かれる。

・1月22日　第1回スタッフミーティング（M）。

・4月1日　キャスト・スタッフの公募開始。

・4月24日　実行委員会を兼ね、実行委員と制作陣の顔合わせ会を開催。

・5月1日　新元号「令和」がスタート。

地元演劇人によるリーディング

公募のチラシ

・6月30日　キャスト・スタッフのオーデション実施（NHK旭川放送局第1スタジオ）。
・7月10日　事務局会議開催（スタジオ・スクラッチ＝以下S）。
・7月20日　キャスト・スタッフの顔合わせ会及び稽古場開き（S）。
・7月27日　出演者ワークショップ①実施。講師はNPO法人コンカリーニョ理事長、斎藤ちず氏（S）。
・7月31日　演出班によるワークショップ実施（S）。
・8月10日　市民劇セミナーVOL1―1開催（S）。
・8月24日　出演者ワークショップ②実施。講師はyhs代表、南参《なんざん》氏（S）。
・9月14日　総合プロデューサーの那須が旭川市中央図書館講座で講演。演題は「旭川の青春時代　ゴールデンエイジを振り返る」。
・9月15日　市民劇セミナーVOL1―2開催（S）。
・9月21日　出演者ワークショップ③実施。講師は富良野GROUP、久保隆徳氏（S）。
・10月5日　予告編（プレ公演）に向けた稽古開始（S）。
・10月14日　市民劇セミナーVOL1―3開催（買物公園など）。
・11月23日　市民劇セミナーVOL1―4開催（S）。
・12月14日　市民劇セミナーVOL1―5開催（S）。
・12月29日　関係者を集め、忘年会を開催（M）。

顔合わせ会・稽古場開き

オーディションの様子

2020（令和2）年

・1月18日　公開通し稽古実施（S）。

・2月14日　予告編（プレ公演）会場入り、設営（旭川市民文化会館小ホール＝以下文）。

・2月15〜16日　予告編（プレ公演）上演（文）。2日間ともほぼ満席状態。

・2月28日　新型コロナウイルスの感染拡大に伴い、北海道が緊急事態宣言。本公演に向けた活動を中断。

・3月11日　WHOが新型コロナウイルスはパンデミックと評価。

・3月13日　市民劇セミナーVOL2—1の延期を決定。

・3月24日　東京五輪・パラリンピックの延期が決まる。

・4月7日　政府、7都府県に緊急事態宣言を発出。

・4月16日　緊急事態宣言が全国に拡大。

・4月18日　市民劇セミナーVOL2—2の延期を決定。

・4月27日　WEB会議ツール、ZOOMを利用し、初のオンラインキャストミーティング実施。

・5月9日　2回目のオンラインキャストミーティングを実施。

・5月15日　本公演の2020年8月から2021年3月への延期を決定。

・5月23日　3回目のオンラインキャストミーティング実施。本公演の配役を伝える。「旭川歴史市民劇の歩み」動画をYouTubeチャンネルにアップ。

・5月25日　国の緊急事態宣言が解除。

予告編（プレ公演）の一コマ

予告編（プレ公演）の仕込み

・５月30日　ネット座談会「住民劇の方法～みんなが大変な世の中で～」を開催。
・６月３日　「旭川歴史市民劇の最近の出来事（稽古場再開の準備について編）」動画制作し、公開。
・６月４日　「旭川歴史市民劇の最近の出来事（ソーシャルディスタンスの方法編）」動画制作し、公開。
・６月５日　オンラインによる市民劇セミナーＶＯＬ２—１を実施。
・６月15日　「旭川歴史市民劇の最近の出来事（感染防止対策取り、まもなく稽古再開編）」動画制作し、公開。
・６月19日　缶バッジ、絵葉書、クリアファイルなど物販活動を開始。
・６月20日　オンラインによる市民劇セミナーＶＯＬ２—２を実施。
４回目のオンラインキャストミーティング。「旭川歴史市民劇チャンネルの紹介」動画をＹｏｕＴｕｂｅにアップ。
・６月23日　実行委員会を再開（旭川信用金庫会議室）。公演延期の経緯などを説明するとともに、協賛金募集への協力を改めて要請。
・６月26日　「井盛先生のメイク教室」動画制作し、配信。
・６月27日　リアルキャストミーティングを再開（Ｓ）。
・６月28日　「あんざい先生の基礎トレーニング教室」動画制作し、配信。
・７月３日　オンラインによる市民劇セミナーＶＯＬ２—３を実施。
・７月４日　本公演に向け稽古再開（Ｓ）。２回目のネット座談会「演劇の生まれ方

「旭川歴史市民劇チャンネルの紹介」動画

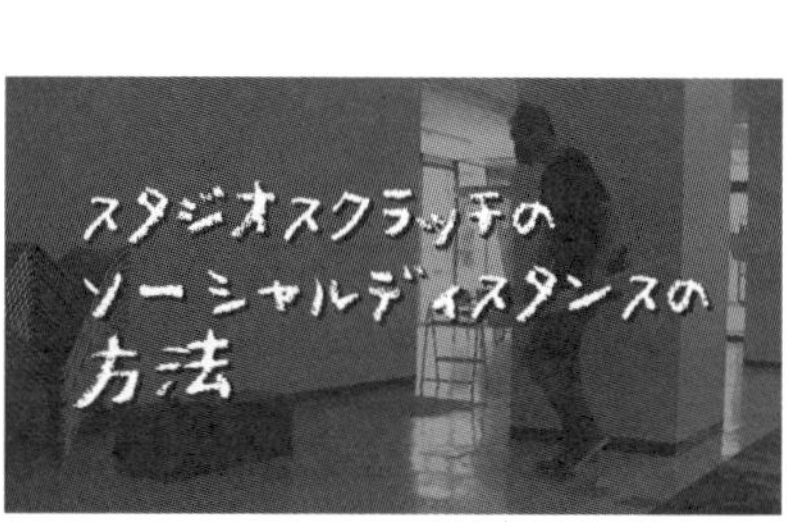

「ソーシャルディスタンスの方法」動画

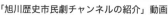

〜期待されるその先に向けて〜」を開催。

・7月11日　1回目の時代考証会議。各メンバーの意見集約（S）。
・7月17日　オンラインによる市民劇セミナーVOL2―4を実施。
・8月1日　キャストミーティング（S）
・8月7日　2回目の時代考証会議。演出班と意見交換（S）。
・8月9日　市民劇セミナーVOL2―5（街歩きツアー）を買物公園周辺で開催。
・8月28日　オンラインによる市民劇セミナーVOL2―6を実施。
・9月17日　オンラインによる市民劇セミナーVOL2―7を実施。
・9月19日　総合プロデューサーの那須が、旭川文学資料館で開催の企画展「小熊秀雄と旭川の詩人・歌人たち」に合わせ記念講演。演題は「旭川歴史市民劇と小熊秀雄の周辺」。
・9月26日　公開通し稽古実施（S）。
・9月29日　本番舞台での通し稽古実施（文）。
・10月1日　ジュニアキャストの公募開始。キャストミーティング（S）。
・11月1日　コロナ感染の拡大に伴い、稽古日数を絞ることを決定。
・11月7日　コロナ感染の拡大で道が警戒ステージを「3」に引き上げ。このうち旭川では、11月上旬から約1か月半の間に、国内最大級のクラスター（感染者集団）が2つの医療機関と1つの福祉施設で発生。
・11月19日　コロナ感染の急拡大に伴い、稽古を中断。スタジオ・スクラッチも閉鎖。

感染予防をしながらの稽古①

感染予防をしながらの稽古②

・11月27日　オンラインによる市民劇セミナーＶＯＬ２―８を実施。
・12月11日　市民劇参加の若手キャストにより結成の劇団「シベリア基地」が、コロナ禍により旗揚げ公演（12月26～27日）の延期を決定。
・12月12日　感染予防対策を徹底し、日数を絞った形で稽古再開（公共施設利用）。
・12月17日　ジュニアキャスト＝堀田綾子役に池本夏希さん（小３）、ヴィクトル・スタルヒン役に田中銀河さん（高１）が決まる。
・12月29日　３回目の通し稽古実施（文）。

2021（令和３）年

・1月7日　政府が首都圏の１都３県に緊急事態宣言。新年初稽古実施（市民文化会館リハーサル室＝以下リ）。
・1月13日　緊急事態宣言が11都府県に拡大。
・1月25日　実行委顧問の星野由美子さん（劇団「河」主宰）が死去。
・1月29日　オンラインによる市民劇セミナーＶＯＬ２―９を実施。
・1月30日　３回目の通し稽古（公開）実施（文）。
・2月2日　本公演のチケット販売開始。
・2月13日　演出担当の高田学が旭川中央図書館講座で、「旭川青春グラフィティザ・ゴールデンエイジを語る」と題し講演。
・2月20日　４回目の通し稽古実施（リ）。

フェイスシールド、マスク着用での稽古総見

小ホールでの通し稽古

・2月21日　リアル市民劇セミナーVOL2―10を実施。合わせて、星野由美子さんによる小熊秀雄の詩の朗読動画を参加者で視聴（M）。
・2月23日　稽古総見（S）。
・2月27日　5回目の通し稽古実施（文）。
・2月28日　6府県の緊急事態宣言が解除、首都圏は継続。
・3月4日　本公演仕込み。場当たり稽古（文）。
・3月5日　本公演仕込み。テクニカルリハーサル。場当たり稽古（文）。
・3月6日　ゲネプロ（最終リハーサル）。本公演初日（文）。
・3月7日　本公演2日目（文）。コロナ感染防止のため打ち上げは行わず、本番前にスタッフ・キャストが集まり「解散式」を行う。約半数に絞った客席は2日間ともほぼ満席。
・3月19日　旭川歴史市民劇の書籍作成のため、取り組みを振り返る座談会を開催（出席者＝川谷、高田、中村、那須）（S）。
・3月20日　那須が、朗読を中心に星野由美子さんの活動を振り返る追悼イベント「星野由美子　劇的朗唱の世界」を開催（M）。
・3月21日　キャスト・スタッフが集まり、稽古場「スタジオ・スクラッチ」の1回目の後片付けを実施。首都圏に出されていた国の緊急事態宣言が解除。本公演から2週間。キャストにお願いしていた体調の変化等の報告期間が終了（体調悪化等の報告はなし）。

本公演のカーテンコール

「解散式」であいさつする原田実行委員長

・**3月27日**　キャスト・スタッフが集まり、稽古場「スタジオ・スクラッチ」の2回目の後片付け。拭き掃除等の清掃を行い、稽古場を閉鎖。

スタジオ・スクラッチ

2019（令和元）年7月20日、カフェー・ヤマニや第一神田館、旭ビルディング百貨店などの跡地に近い4条通8丁目のビルの1階に開設した旭川歴史市民劇の稽古場。

もともとスポーツ量販店が営業していたスペースのため広さは十分。さらに旭川の中心部で最も交通の便が良い場所にあり、稽古場としてはこれ以上無い立地だった。唯一、冷暖房設備が故障中のままだったことがネックだったが、夏は扇風機、冬は業務用ストーブを持ち込むなどして対応した。

スタジオ・スクラッチを中心とした市民劇の日々の活動について、実行委員や支援者に伝えるミニ通信「スタジオ・スクラッチ通信」も制作した。

2020・9・26

本公演に向けてリスタート！
スタジオ・スクラッチでの稽古再開

studio Scratch communication
スタジオ スクラッチ 通信
第伍号
旭川歴史市民劇実行委員会の皆様と事務局、演出部
そしてキャストをつなぐ連絡誌

対面での熱い稽古

7月3日：歴史セミナーVol3 開催（オンライン）
7月4日：スクラッチでの稽古再開（週1回）
7月4日：第2回ネット座談会開催（オンライン）
7月11日：歴史検討委員会（時代考証）
7月17日：歴史セミナーVol4 開催（オンライン）
7月20日：歴史検討会議（時代考証）
8月1日：キャストミーティング
8月6日：稽古（8月週2回）
8月9日：歴史セミナーVol5 まちあるき開催
8月14日：先行予約チケット払い戻し・引き換え開始
8月28日：歴史セミナーVol6 開催（オンライン）
9月2日：稽古（9月週3回）
9月18日：歴史セミナーVol7 開催（オンライン）
9月26日：公開稽古
9月29日：ホール稽古（文化会館　小ホール）

物販部情報
缶バッチ 一個 二百円
三個セット 五百円
絵はがき 三枚セット 三百円
六枚セット 五百円
十枚セット 七百円
九月の新商品 クリアファイル 一枚 五百円
まちなかぶんか小屋にて発売中！

まちあるきツアー開催

旭川歴史市民劇をオンラインで！
FaceBook ページ「旭川歴史市民劇実行委員会」
YouTube チャンネル「旭川歴史市民劇オンライン」
ホームページ・ツイッターもあります！「旭川歴史市民劇」で検索！

編集後記

スタジオ・スクラッチ通信

スタジオ・スクラッチ

市民劇セミナー

作品の舞台となったゴールデンエイジの旭川や関連の事象について学ぶ歴史講座。1期目（VOL1）はスタジオ・スクラッチなどを会場に5回開催。2期目（VOL2）はコロナ感染拡大により、オンラインで8回開催したほか、2回のリアル開催も行った。いずれもキャスト・スタッフの他、一般市民にも参加を呼びかけた。講師は総合プロデューサー・脚本担当の那須敦志が務めた。

なおオンラインによるセミナーは、旭川歴史市民劇実行委員会のフェイスブックのページより生配信。その後YouTubeチャンネル「旭川歴史市民劇オンライン」でも配信し、視聴可能となっている。

◆市民劇セミナーVOL1（2019年）

① 「ゴールデンエイジと開拓2世」
② 「旭川を活性化した来訪者&移住者」
③ 「歴史市民劇・街歩きツアー」
④ 「ゴールデンエイジの旭川・大正編」
⑤ 「ゴールデンエイジの旭川・昭和編」

リアルセミナーの様子

◆市民劇セミナーVOL2（2020～2021年）

①「人物深掘り①齋藤史」オンライン
②「人物深掘り②速田弘」オンライン
③「人物深掘り③佐野文子」オンライン
④「人物深掘り④佐藤市太郎」オンライン
⑤「歴史市民劇・街歩きツアー」屋外のためリアル開催
⑥「旭川演劇史トピックス」オンライン
⑦「写真で見る旭川130年」オンライン
⑧「人物深掘り⑤小熊秀雄と高橋北修」オンライン
⑨「深掘り！ カフェーと女給」オンライン
⑩「登場スポットを深掘り！」感染予防対策取りリアル開催

街歩きツアーの様子

●ネット座談会

新型コロナウイルスの感染拡大に伴い、旭川歴史市民劇の活動停止中に行った取り組み。道内外の演劇関係者の参加を求め、２０２０（令和２）年5月30日と7月４日の2回開催。コロナ禍の中での演劇や住民劇について意見を交わした。

座談会は、旭川歴史市民劇実行委員会のフェイスブックのページより生配信を行い、その後ＹｏｕＴｕｂｅチャンネル「旭川歴史市民劇オンライン」でも配信、視聴可能となっている。

◆ネット座談会①　２０２０（令和２）年5月30日

タイトル「住民劇の方法〜みんなが大変な世の中で〜」

パネリスト

イナダさん（札幌・劇団イナダ組代表）
斎藤ちずさん（札幌・ＮＰＯ法人コンカリーニョ理事長）
館宗武さん（函館・演劇ユニット41×46代表）
漢幸雄さん（士別・あさひサンライズホール館長兼芸術監督）

コーディネーター

川谷孝司（旭川歴史市民劇制作プロデューサー）

◆ネット座談会②　2020（令和2）年7月4日

タイトル「演劇の生まれ方～期待されるその先に向けて～」

パネリスト

イナダさん（札幌・劇団イナダ組代表）

館宗武さん（函館・演劇ユニット41×46代表）

泊篤志さん（北九州・「飛ぶ劇場」代表）

イトウワカナさん（大阪・劇作家、演出家）

工藤舞さん（金沢・個人演劇ユニット「Ｍｉｋｅ堂」主宰）

三浦香さん（東京・脚本家、演出家）

日澤雄介さん（東京・劇団チョコレートケーキ主宰）

オブザーバー参加

漢幸雄さん（士別・あさひサンライズホール館長兼芸術監督）

野口博人（旭川歴史市民劇キャスト）

細野葉月（旭川歴史市民劇キャスト）

コーディネーター

川谷孝司（旭川歴史市民劇制作プロデューサー）

リサーチャー・ナレーター

前田歩（旭川歴史市民劇キャスト）

ネット座談会②より

ネット展開

今回の市民劇では、取り組みについてより多くの市民に知ってもらうため、ホームページやＳＮＳなど、ネット上のさまざまなツールを活用し、幅広い情報発信に努めた。

具体的には、実行委員会のホームページ、ｆａｃｅｂｏｏｋページ、ＹｏｕＴｕｂｅチャンネル、そして公式Ｔｗｉｔｔｅｒをそれぞれ開設し、稽古の進捗状況、動画配信、関連イベントの周知等、適時広報に努めた。

特にホームページでは、旭川の歴史についての理解と関心を深めてもらうという取り組みの目的に合わせ、「旭川の歴史解説」ページを設け、劇の実在の登場人物や出来事、登場するスポットなどについて、詳しく紹介した。

公式ホームページ

facebookページ

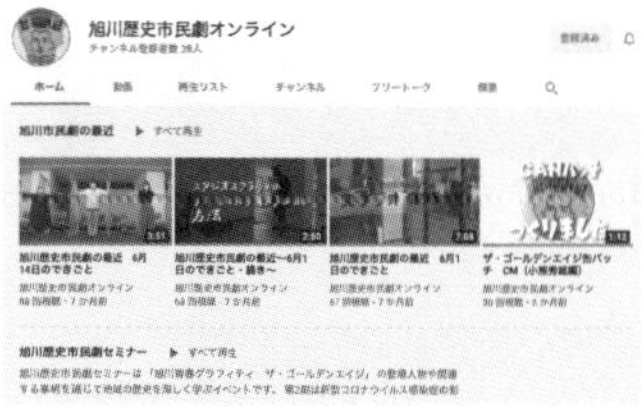

You Tubeチャンネル

公式Twitter

物販活動

旭川歴史市民劇の活動周知と、コロナ感染拡大に伴う本公演の延期による収入不足（大ホールから小ホールへの会場変更等でチケット収入が大幅に減少）を補うため、事務局内に物販部を設けた。

小熊秀雄、高橋北修、齋藤史の似顔絵をあしらった缶バッチ、ゴールデンエイジの旭川の街並みを写した復刻版の絵葉書、メインビジュアルを利用したクリアファイルおよびTシャツを作成し、販売した。

また予告編（プレ公演）、本公演とも、舞台の模様を収録したDVDを作成した。このうち本公演のDVDは旭川のまちなかぶんか小屋で販売中。

缶バッチ

レトロ絵葉書

クリアファイル

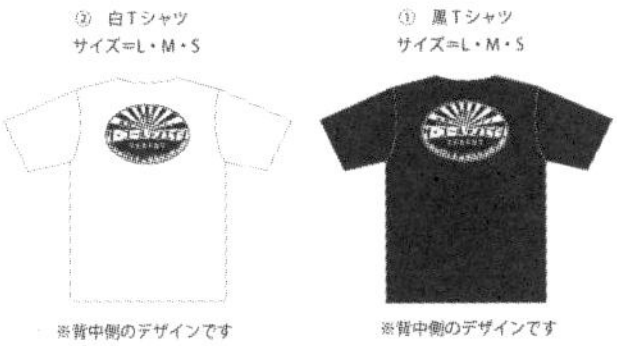

Tシャツ

公演会場での物販コーナー

それぞれの思い

旭川市民劇を演出して

高田　学

「な?」

これはおそらく自分が役者として受けた演出の言葉の中で最短のものでしょう。

——10年以上前。

その時僕は役者として参加していた芝居の稽古中で、自分が所属する劇団「劇工舎ルート」の演出、伊藤裕幸から様々な「ダメ出し」を受け、自らの役作りに悩んでいました。そんな中、ある日の稽古でふと、演じていて身体が軽くなった瞬間があったのです。

……もちろん比喩です。

僕の体重は数分で落ちるような、そんなヤワな重さではありません。

ただその時は、それまで受けた数々のダメ出しとは全然違う動きと台詞の言い方を「なんとなく」したくなり、ただ相手役との会話を楽しんだ気がします。言わば演出からの指示を無視して自由に振舞ってしまったのです。

……そしてダメ出しが始まります。間違いなく怒られるパターンです。怒声が響く、もしくはため息、無言で退出、役を降ろされる……あらゆる可能性を考え、口の形はすでに「すみません」の「す」の準備万端です。

……ところが一瞬の間の後、出てきたのはうれしそうな表情と冒頭の一文字「な?」の一言でした。思わず「はい!」と返事をしたことを覚えています。

その時脳裏には、有名な「世界一短い手紙」の逸話が浮かんでいました。ヴィクトル・ユゴーが『レ・ミゼラブル』出版直後、出版社に宛てた手紙。内容は「?」一文字。これは「売れ行きはどうだ?」という意味の「?」です。そしてそれに対して担当編集者から来た返事は「!」一文字。つまり「売れています!」という意味の「!」だったのです。

すなわち、伊藤の言った「な?」は「な? その感覚だよ、わかっただろ?」の

「な?」でした。それはその時、僕がつかんだ感覚を、多くの言葉で表現する無意味さを感じての一言だったのでしょう。

その一言で「観る側」と「舞台に立つ側」が感覚を共有する瞬間を感じることができた気がします。そしてそれこそが映像とは別の、舞台上で役者たちが生の芝居をする大きな意味の一つだと思っています。

―「あなたには、あなたの使命がある」―

これは劇中で小熊秀雄が齋藤史に伝えた言葉です。

誰しもが自らの「使命」とも言えるような、やりたいこと、できることを探し続けている。今回の『ザ・ゴールデンエイジ』という作品の大きなテーマの一つです。

自分が今回、市民劇の演出を受けたのは、もちろん座談会でも語ったように「旭川市民劇と名乗るからには、可能な限り旭川の演出が担当すべき」という思いもありましたが、演劇経験の有無に関わらず、多くの方に「舞台で自由でいられる感覚」を感じてもらいたい、そんな思いもありました。そしてそれが、伊藤が他界した今、自分にできること、そんな気がしたのです。

自分が出す指示は必要最小限度、方向性のヒントどまり、しかし細部に至る。演劇経験が少ない参加者にとっては難しいダメ出しが多かったかも知れません。何しろ演

演出中の高田氏

出からは最初に「ダメは出すけど、必ずしもその通りにしなくてもいい」と言われてしまっています。

「じゃあ、どうしたらいいのかわからない」

「灰皿投げられた方がわかりやすい」

そう思った役者も多かったかもしれません。しかし、人によっては「こう動け」と言われたらその通りにしか動きませんし、何より僕は煙草を吸いません。お互い我慢比べのような部分もあったでしょう。しかもその我慢比べは、みなさんもご存じの状況で本公演が当初の予定より延期となり、より長い時間となってしまいました。その為参加できなくなってしまったメンバーもいます。２０２1年1月に他界された星野由美子さんもその一人です。

星野由美子さんは旭川の演劇文化の礎となった劇団「河」の代表です。劇団「河」のメンバーがその後、僕が参加した劇団「旭川ステージワーク」を作り、そしてそのメンバーによって、伊藤を初め僕が現在所属する劇団「劇工舎ルート」が作られました。そんな自分のルーツを作っていただいたとも言える星野さんの本公演での出演が叶わなかったのは残念でなりません。

しかし着実に稽古を積み重ねてきたその長い時間は、幾人かの本公演へ出演する機会を奪った一方で、確実に全員を成長させました。

そして全ての稽古日程を終え、本番を迎えます。

演出は本番当日、何もできません。

ただ、稽古の成果をちゃんと発揮できるよう観客の一人として「芝居の神様」に祈るだけです。

そして、２０２1年3月6日、本公演初日。

本番が終わり、

割れんばかりの拍手の中、

僕は会場の中で一人、舞台上の役者たちに向かってこう呟いたのです。

「な？」

住民劇の形

川谷　孝司

演劇であれ、音楽であれ、はたまた絵画、彫刻などであれ、文化芸術作品というものはまずは「作りたいという思い」から始まるのだと考えております。

で、そこを「0」だとして、次に「1」にする。

「作りたいという思い」を「形」にする。そんなはじまりの作業を今回担ったのが、原作を書いた那須さんになると思います。

そこから「1」を「10」とか「100」にしていく作業が始まっていきます。私が名乗った「制作プロデューサー」というのはその作業を担当していくのだと考えました。

種が芽を出し（0→1）、育ち（1→10）、いずれ大木となる（10→100）ためには、自然界であってもいろいろと条件が必要なはずです。その条件を見つけ出し、「0」の段階で思い描いていた「大木」に育つよう、なんなら、それを超えるような「もの」に成長するようにお手伝いしていく…これが自分の役割だという思いで歴史劇とのかかわりが始まったように思います。

演劇作品を作り上げていくにはなによりも「人」。演劇の知識や技術や経験では

なく演劇に興味を持った「人」が必要でした。オーディションや、人づてをたよりに広報を続け、結果、幅広いジャンルの人々にキャスト・スタッフとして参加していただくことができました。

足掛け4年の歳月を通して、多くの人の手で「水」を注ぎ、「肥料」を撒き、ときには「剪定」をほどこしながら、このお芝居をみんなで守り、育ててきました。新型コロナウイルスという予期せぬ危機にもみまわれましたが、なんとかその姿をみんなで確かめるところまでたどり着くことができました。

令和3年3月6日、7日　旭川市民文化会館小ホール
旭川歴史市民劇　旭川青春グラフィティ　ザ・ゴールデンエイジ　上演。

舞台に立つもの、それを支えるもの、そして客席に座るもの、それぞれの視点から何が見えたでしょうか？　立派な「大木」だったでしょうか？　それともまだまだ「幼木」だったのか？　はたまた全く違う景色を見ていた方もいたかもしれません。

文化芸術作品の中でも、「演劇」というジャンルは「かく（脚本）」楽しみ、「つくる（演出）」楽しみ、「でる（役者）」楽しみ、「みる（観客）」楽しみ、のように多様に楽しんで関わることができると考えています。

そんな思いもあり、制作プロデューサーとしては、那須さんの蒔かれた種がどの方

本番前、舞台からスタッフに指示を出す

向から見ても楽しめるものになるよう意識してきました。つまり私の中の「１００」の姿とは「この木なんの木気になる木」でした。立派で素晴らしく神々しくあるよりも、広く枝を広げ人々に安らぎを与える。そんな姿になるように手を差し伸べてきました。

今回の活動を通して、演劇や住民劇の役割とはなにか？　そのことが少しだけわかったような気がしています。しかし、この奥深い文化芸術作品はまだまだ底を見せていないようで、ここではしっかりとした答えを書くことができません。はっきりしたことは、この先、何回もの検証ができてこそ出せるものなんだと思っています。

ほんと、興味が尽きません！

個性豊かなキャスト

今回の市民劇（本公演）には、年齢も、職業も、演技経験もバラバラな人たちが、キャストとして参加した（10歳以下＝1、10代＝2、20代＝9、30代＝5、40代＝4、50代＝5、60代＝3、70代＝1）。

きっかけも、公募に募集してオーディションを受けた人（公募メンバー）、旭川や周辺のマチで普段から演劇活動をしている人（サポートメンバー）、制作班のオファーに応じた人などさまざまだった。

共通していたのは、この取り組みへの熱い思い。ここではそんな個性豊かなキャストのプロフィールを紹介する（50音順、年齢や居住地等は本公演時のもの）。

本公演のキャストたち

安齋　英樹（あんざい・ひでき）58歳

居住地　旭川市
演じた人　齋藤《さいとう》　瀏《りゅう》
職業　塾の経営・指導
参加形態　公募メンバー
演劇経験　あり（大衆演劇、TV、映画、CM、舞台等）

中学を卒業して以来、ずっと旭川を離れていましたが、事情により8年前に帰旭しました。

故郷でありますが、旭川のことはほとんど知らず、知り合いもおらず、浦島太郎状態だったので、もっと旭川とつながりたいと思い、参加しました。

皆様、お疲れ様でした。

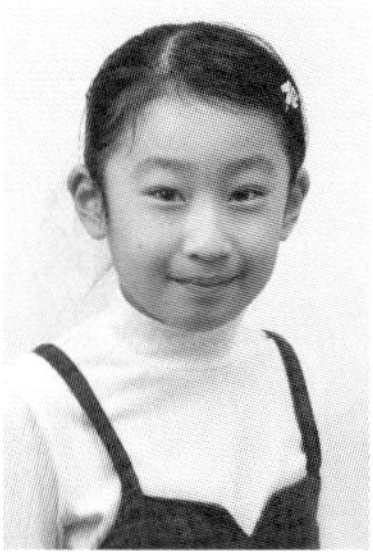

池本　夏希（いけもと・なつき）9歳

居住地　旭川市
演じた人　堀田《ほった》（三浦《みうら》）綾子《あやこ》
職業　小学3年生
参加形態　公募メンバー
演劇経験　なし

げきにでたのは、やってみたかったからです。ほかのげきでも子やくをやってみたいです。

（池本希＝母）

演劇に興味があるようでしたので、一度経験させてみたく応募しました。短い間でしたが、娘にとっては大変楽しく、貴重な体験だったようです。

加藤　識泰
（かとう・のりやす）
52歳

居住地　旭川市
演じた人　小池《こいけ》　栄寿《よしひさ》
職業　高校教諭
参加形態　求めがあって
演劇経験　あり（主に高校演劇部の指導）

これまで勤務地での市民楽団等に参加して活動したこともありましたが、いつの間にか多忙を理由に遠のくようになっていました。

今回、求めに応じて参加しましたが、稽古に向かう車中、ワクワクしている自分に気付き、単なる責任感以上に自分自身が活動自体を楽しみにしていることがわかりました。

この機会を与えてくれ、支えてくれた全ての方々に感謝いたします。

沓澤　章俊
（くつざわ・あきとし）
57歳

居住地　旭川市
演じた人　今野《こんの》　大力《だいりき》
職業　旭川文学資料館学芸員
参加形態　求めがあって
演技経験　20代の頃、大学祭でロシア語劇に出演

詩誌「フラジャイル」で一緒の柴田望さんも参加するので、思い切って応じました。

ロシア語劇のほか、自作詩の朗読などで人前には立ったことはあるのですが、役を演じるというのは難しくもあり、緊張しました。でも、とても楽しかったです。

なにか新たな自分が逆照射されてあぶり出されたような気がしました。

小池　幸範

（こいけ・ゆきのり）

41歳

居住地　旭川市
演じた人　酒井《さかい》　廣治《ひろじ》
職　業　飲食業
参加形態　サポートメンバー
演劇経験　あり（年1度位のペースでいろいろな所に参加しております）

最後の小熊の詩で全員が出るシーンがとても印象的です。41歳の私が〝老いたる方の苦痛の世界〟に生きているのか、〝若者にとっての希望に満ちた世界〟に生きているのか… いつも考えさせられます。

今回の公演で若者達からエネルギーをもらったのは、事実です。ということは、自分は老いているのか… いずれにしても、これからの生きる活力になりました。ありがとうございました。

佐藤　愛未

（さとう・まなみ）

32歳

居住地　旭川市
演じた人　女給3（ユリ）
職　業　新聞記者
参加形態　公募メンバー
演劇経験　なし

上司に体験取材を命じられて公募に参加した。嫌々始めた演劇が、いつの間にかかけがえのないものになっていて、今は心にぽっかり穴が空いた気持ち。

2019年の秋ころまでは、早く本番が来て終わりにならないかと本気で思っていたのに、今はまた何かしらの形で、できれば役者として舞台に立つ日が来たらうれしいと思う。

佐藤めぐみ（さとう・めぐみ）42歳

居住地　旭川市
演じた人　女給1（サクラ）
職業　ラーメン屋店員、ライナー配布員、他に単発バイト等
参加形態　公募メンバー
演劇経験　ほぼなし

「楽しそうだ！」と感じたので応募しました。

公演を終えて、さびしい気持ちと、感動でいっぱい！　胸がいっぱいです！

市民劇に参加して、いろいろと見る目が変わりました。良い変化ばかりですので、ほんとうにかかわらせてもらって、感謝しています。

柴田　望（しばた・のぞむ）45歳

居住地　旭川市
演じた人　鈴木《すずき》　政輝《まさてる》
職業　会社員
参加形態　求めがあって
演劇経験　なし

今回、恐縮ながら尊敬する詩人・鈴木政輝の役をいただきました。

小熊秀雄役の長谷周作さん、今野大力役の沓澤章俊さん（詩誌「フラジャイル」の同人仲間）、小池栄寿役の加藤識泰先生。伝説の詩誌「円筒《えんとう》帽《ぼう》」の詩人たちが同じテーブルで語らうという、話を聞いて想像していた状況が現代に顕れる、奇跡的なシーンに出演させていただいた感動で胸いっぱいです。

柴田　睦実
（しばた・むつみ）
27歳

居住地　旭川市
演じた人　ハツヨ（江上《えがみ》ハツヨ）
職　業　家庭教師
参加形態　公募メンバー
演劇経験　あり（高校演劇、劇団「河」）

参加した理由は、演劇が好きだったからと、暇があったからです。

今まで経験した稽古は、「突き落として、登って来い」というものばかりだったので、演出の高田さんの指導は新鮮でした。

杉尾　勇人
（すぎお・いさと）
52歳

居住地　旭川市
演じた人　高橋《たかはし》　北修《ほくしゅう》
職　業　障害者福祉施設勤務
参加形態　公募メンバー
演劇経験　あり（20年ほど前からやっています）

旭川の芝居人口を増やしたいので、参加した。公演を終えたいまは、高い山の登山をして、頂上に立ったような気持ち。

市民劇に参加したことで、出会いを大切にしたいと、改めてそして一番強く思った。

鈴木　和彦
（すずき・かずひこ）
47歳

居住地　旭川市
演じた人　カタオカ（片《かた》岡《おか》愛《あい》次《じ》郎《ろう》）
職　業　教員
参加形態　公募メンバー
演劇経験　あり（あさひサンライズホールでの住民劇など多数）

旭川でなにげに暮らしていましたが、この芝居に参加したことで、旭川で現在行われているいろいろな催しや場所などの成り立ち、歴史といったものに興味を持つようになりました。

コロナのこともあり、今回は裏方の皆さんが本当に大変だったと思います。我々は舞台に上がらせてもらっただけなので、今はそうした方々にまず感謝したいと思います。

高井　尚樹
（たかい・なおき）
55歳

居住地　旭川市
演じた人　活弁士、演歌師、金魚売り
職　業　会社員（製造業）
参加形態　サポートメンバー
演劇経験　あり（31年前の市民劇参加から現在まで演劇を続けており、旭川、札幌、東京で約300ステージ数を経験）

前回の市民劇に参加した者として、素人だった自分に演劇の楽しさを教えてくれた星野由美子さんやその他の方のように、少しでも未経験者の方々の力になればと思い参加しました。みんなで一つの作品を作る演劇の楽しさを改めて感じました。

31年前の自分のように、これを機会に、旭川で演劇を楽しむ場がもっともっと増えればいいですね。

高田　正基
（たかだ・まさき）
66歳

居住地	札幌市
演じた人	竹内《たけうち》　武夫《たけお》
職業	元北海道新聞旭川支社長
参加形態	求めがあって
演劇経験	なし

台詞ふたつとはいえド素人の60代男の出演に、皆さんは不安だったと思います。誰より私自身が不安でした。

　今となれば舞台袖で出番を待つ時間の緊張と高揚感も心地よい記憶ですが、なんと言っても最後に客席から大きな拍手を浴びたときの興奮と感動は忘れられません。

　ひとつの舞台が完成するまでにどれほどの努力が重ねられているのかを垣間見る事ができたのも得難い経験でした。出演させていただき、本当にありがとうございました。

滝本　幸大
（たきもと・ゆきひろ）
31歳

居住地	鷹栖町
演じた人	トージ（松井《まつい》　東二《とーじ》）
職業	児童指導員などいくつかの職をかけもち
参加形態	求めがあって
演劇経験	なし

　登場した実在の人物たちに以前より強い興味を抱くようになった。特に詩人たち。今野大力の遺稿ノートを手にとってみたりして、こんな詩人が旭川にいたんだと知り、うれしくなった。

　自分も今、旭川で映画の自主上映会という形で文化活動を行っているが、今回の劇に登場した小熊たちのいた熱い時代にふれ、自分もまた旭川で文化活動を行うことにより熱が入った。

田中　銀河
（たなか・ぎんが）
16歳

居住地　旭川市
演じた人　ヴィクトル・スタルヒン
職業　高校1年生
参加形態　公募メンバー
演劇経験　あり（演劇部に所属）

自分自身の演技を振り返ると、悔いなく、そして楽しく演じることができ、良い演技ができたと思います。

今回の市民劇を通して、キャストさんやスタッフさん、さまざまな方と関わることができ、貴重な経験ができました。この経験を自分の今後の活動にいかしていきたいと思います。

谷口　怜士
（たにぐち・れいじ）
32歳

居住地　旭川市
演じた人　極粋会の男1（サルタ）
職業　小学校教員
参加形態　サポートメンバー
演劇経験　あり（あさひサンライズホールでの住民劇）

参加したのは、あさひサンライズホールでの住民劇でお世話になった川谷制作プロデューサーへの恩返し。

士別市朝日町以外での劇は初めてだったので、良い経験でした。

打ち上げしたかったたな…。

中山　僚太
（なかやま・りょうた）
25歳

居住地　砂川市
演じた人　エイジ（江上《えがみ》　栄治《えいじ》）
職業　砂川市教委勤務
参加形態　求めがあって
演劇経験　なし

演劇を見る機会が多く、いつか役者側で参加してみたいと思っていましたが、なかなか一歩を踏み出す勇気が出ませんでした。そんな時に出演者の一人、吉田卓くんが声をかけてくれ、参加しようと思いました。

　一歩踏み出すと、新しい経験や人間関係の広がりなど、非常に新鮮で有益な経験となりました。今後もチャンスがあれば演劇を続けていきたいと思います。

那須　敦志
（なす・あつし）
63歳

居住地　札幌市（時々旭川市）
演じた人　町井《まちい》　八郎《はちろう》
職業　なし
参加形態　求めがあって
演劇経験　あり（大学時代に学生劇団に所属）

　演出の高田さんの要請で、プレ公演に続き、本公演でも舞台に上がりました。プレ公演では星野由美子さんの車椅子を押すだけの役でしたが、本公演ではメイクをし、なんと台詞まで！

　舞台で台詞を発したのは、大学で演劇活動をしていた頃以来、実に42年ぶりです。

　「あの頃も役者は苦手だったが、人が足りず、舞台に上がったよなぁ」。若き日のいろいろな記憶が蘇りました。

野口　博人

（のぐち・ひろと）

23歳

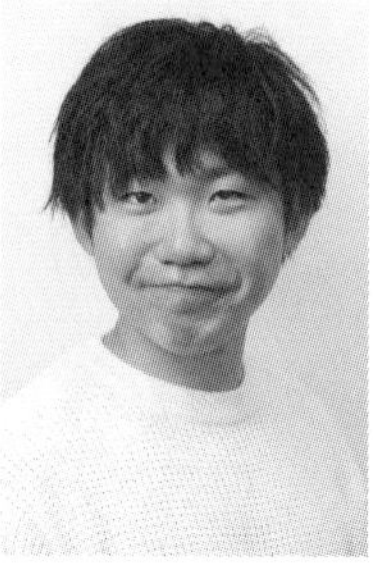

居住地　旭川市

演じた人　タケシ（塚本《つかもと》　武《たけし》）

職業　旭川医大４年生

参加形態　公募メンバー

演劇経験　あり（高校の演劇部から）

一時期は開催も危ぶまれた中で、公演を終える事ができてホッとしています。

ネットでの公演など、さまざまな演劇のかたちができましたが、個人としては、実際にお客様の前で生の舞台を見せる事が何よりのよろこびです。

今回、市民劇をきっかけに、自分たちの劇団を立ち上げる事ができました。今後、継続的な活動を予定しています。

長谷　周作

（はせ・しゅうさく）

37歳

居住地　旭川市

演じた人　小熊《おぐま》　秀雄《ひでお》

職業　自営業（時計メガネ店）

参加形態　サポートメンバー

演劇経験　あり（高校演劇からスタート、現在は劇団東京都鈴木区に所属）

演出の高田さんから、一緒にやりがいのある舞台を作ろうとお話をいただき、市民の皆さんと一緒に頑張ることも自分のステップアップにつながると思い、参加しました。

長いスパンの稽古はあまりやったことがなかったので、モチベーションのキープ等、たくさん勉強になりました。

細川加菜美（ほそかわ・かなみ）23歳

居　住　地　旭川市
演じた人　イクミ（竹本《たけもと》いくみ）
職　　業　会社員
参加形態　公募メンバー
演劇経験　あり（高校演劇部や外部劇団等で活動。大学でも劇団サークルで活動するなどして今に至る）

細野　葉月（ほその・はづき）27歳

居　住　地　旭川市
演じた人　佐野《さの》　文子《ふみこ》
職　　業　ホテルフロント
参加形態　公募メンバー
演劇経験　あり（高校演劇部、大学の授業）

こんなに長く一つのお芝居に関わることは初めてだったので、もうこのメンバーと稽古場で会えないと思うと、とても寂しいです。

　でもそれ以上に成し遂げたことへの達成感と、お客さんやキャスト・スタッフの皆さんの楽しげな雰囲気を感じ、参加して本当に良かったという気持ちでいっぱいです。

　これからもずっと演劇に携わっていきたいなと思う気持ちがより強くなりました。


とにかくこの時期に無事に公演ができて、ホッとしています。

　様々な年代の方々、職業も経験も違う方々と長い時間を共にして、一つの舞台を作り上げることの大変さ、でもやりがいと達成感がとても大きく、充実した日々だったと思います。

　全員の気持ちがのった時の芝居の楽しさ、気持ちよさを味わって、参加できてよかったと感じています。

前田　歩
（まえだ・あゆむ）
37歳

居住地　旭川市
演じた人　ウメハラ（梅原《うめはら》　竜也《たつや》）
職業　育児休暇中
参加形態　サポートメンバー
演劇経験　あり（演劇の専門学校卒、舞台複数の他、ドラマ、映画、CMナレーション等）

もともと演劇に関わって生きてきたので、生まれ故郷の旭川で、それまで培ってきたものを発表するという意味もあり参加しました。自分が好きになった世界をこの地に根付かせたいという思いと、特にコロナが世界を暗くしている中の光になればとの思いも。

人は暗いから光を灯す。暗転中の舞台に照明が灯るように、この旭川から少しずつ明るい方向に進めたらという思いです。

関わった全ての人に感謝を、そして関われた事に感謝を。

松下音次郎
（まつした・おとじろう）
60歳

居住地　鷹栖町
演じた人　佐藤《さとう》市《いち》太《た》郎《ろう》
職業　福祉機器製作業
参加形態　サポートメンバー
演劇経験　あり（旭川で35年近く様々な劇団に参加）

旭川で実際に活躍した人たちの話を、旭川市民で作り上げるという企画にワクワクし、参加しました。

本番が終わり、もうみんなと稽古ができなくなったことをとてもさみしく思っています。

役者や裏方だけではなく、本当にたくさんの人たちが関わって作り上げた舞台でした。コロナ対策など、目に見えない所での、今までの芝居ではなかった多くの気遣いに頭が下がる思いです。

間藤　洋子
（まとう・ようこ）
72歳

居住地　旭川市
演じた人　綾子の祖母
職業　主婦
参加形態　公募メンバー
演劇経験　なし

（星野由美子さんをのぞき）最年長という事とコロナが重なり、体調のことで皆さんに迷惑をかけない様にと、その事だけに集中して過ごしました。

公演を終えて、全ての関係の方々のパワーに敬服いたしました。すごいことです！　その中に参加した身の程知らずの私。それも我ながらすごい！

全ての関わった皆さんに感謝です。演じることが楽しかったです。

三島実久里
（みしま・みくり）
37歳

居住地　東京都（プレ公演までは旭川市）
演じた人　女給2（スミレ）・ヒトミ（中田《なかた》ひとみ）
職業　グラフィックデザイナー
参加形態　公募メンバー
演劇経験　あり（高校3年間、演劇部に所属。旭川の高校演劇部が集まって作った劇団「樹氷」に1999〜2001年まで所属）。

久しぶりにお芝居をやりたいと思っていたときに、市民劇のオーディションをｆａｃｅｂｏｏｋで知ったため、応募しました。

宮川　紗綺
（みやかわ・さき）
17歳

居住地　旭川市
演じた人　齋藤《さいとう》　史《ふみ》
職　業　高校2年生
参加形態　公募メンバー
演劇経験　あり（平成20年5月より劇団ひまわりに所属）

延期により出演できなくなってしまったキャストがいること、そして予定より少ないお客様にしか直接お見せできなかったこと、非常に残念に思います。

しかしこういった状況の中で無事に公演できたことや、お客様の前でスポットを浴びることができたことは奇跡のようで、本当に幸せです。

10年以上役者をやっていますが、挑戦することで、まだまだ自分の可能性を見出だせるのだということに気が付けました。

山本　俊輔
（やまもと・しゅんすけ）
26歳

居住地　旭川市
演じた人　ヨシオ（渡部《わたべ》　義雄《よしお》）
職　業　社会人
参加形態　公募メンバー
演劇経験　あり（一人芝居で数回舞台に立ったことあり）

旭川にいらっしゃる様々な方と、演劇をしてみたいという思いがあり、参加しました。

公演を終えて、旭川でこれまで積み重ねられてきた歴史に興味を持つようになりました。

市民劇に参加していなければ出会えなかったたくさんの人と、一つの舞台を作り上げるという貴重な体験ができて感無量です。

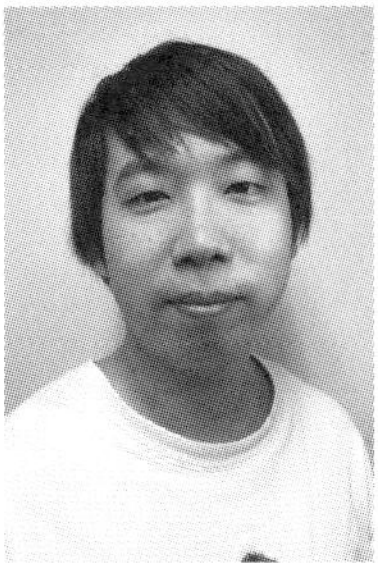

吉田　卓（よしだ・たく）

25歳

居住地　砂川市
演じた人　極粋会の男2（ツルオカ）
職業　会社員
参加形態　サポートメンバー
演劇経験　あり（社会人になってから約7年）

高田さん、川谷さんと交友があり、声をかけていただきました。

コロナの関係で、観客を入れての上演はできないと思っていたので、人のいる場でできたのはとても楽しかったです。

ここ2~3年、旭川の劇に関わらせてもらって、とても成長させてもらったなという気持ちです。今後の劇作りにいかしていきたいと思います。

脇　慎一郎（わき・しんいちろう）

43歳

居住地　滝川市
演じた人　速《はや》田《た》　弘《ひろし》
職業　郵便局勤務
参加形態　公募メンバー
演劇経験　あり（滝川市の演劇集団森組に所属）

長い間、ずっと稽古場で、みんなと充実した時間を過ごしていたので、終わってさみしい気持ちになっています。

俗に言うロス状態ですね。

スクラッチは、演劇の夜間学校みたいで、好きでした。

各方面から温かいダメ出し、アドバイスをいただき、自分の何が足りないのか学べた気がします。

出会った仲間たちと、支えてくださったスタッフの皆さんとのご縁は、これからも大切にしたいです。

佐藤竜太郎

（さとう・りゅうたろう）17歳

居住地　旭川市
演じた人　極粋会の男2、男2（クリコ）＝プレ公演
職業　高校3年生
参加形態　公募メンバー
演劇経験　あり（演劇部で部長をしていました）

（公募メンバーの一人だが、事情によりプレ公演のみ参加）

今回、色々な人と関わった事は一生の財産になると思うくらい特別で大切な時間でした。皆さんからもらった色々なものは、自分のコレからの人生で、他の誰かに同じ様にあげられる人間になる事で繋いでいきたいと思います。

本公演を見て最初に抱いた感情は、ああ悔しいなぁでした。皆さんと舞台を作りたかったと、心から思いました。それくらい素敵な舞台だと思いました。

本公演には出られなかったけど、市民劇に関われて自分は幸せ者だとも思いました。

追悼　菅野浩《かんのひろし》さん　星野由美子《ほしのゆみこ》さん

劇団「やまなみ」代表の菅野浩さん、劇団「河」主宰の星野由美子さん。ともに長く旭川の演劇活動を牽引してきたレジェンドである。

今回の市民劇では、実行委員会の発足に合わせ、お二人に顧問就任をお願いし、快く引き受けていただいた。そこには、地域に刻まれてきた営みをしっかりと踏まえ、その上で次代を担う若者たちにバトンを引き継がせたいという思いがあった。

しかし菅野さんは取り組みがスタートしてまもない2018（平成30）年12月に（82歳）、また星野さんも本公演を間近かにした2021（令和3）年1月に（93歳）、相次いで他界するという悲報が我々のもとに届いた。

市民劇の計画についてお伝えした際、「それは旭川の演劇界にとって良いことだ」と、お二人とも目を細められていたことが昨日のことのように思われる。

菅野さんはキャスト・スタッフの公募前に逝去されたため、実際の活動を見ていただくことはできなかったが、星野さんには何度か稽古に立ち会ってもらい、2020（令和2）年2月の予告編（プレ公演）では、役者として出演していただいた。90歳を超えてなお舞台人であり続けたその姿は、市民劇に参加した若者の心に多くのことを刻んだのではないかと思う。

菅野浩さん

菅野浩さんは１９３６（昭和11）年2月13日、旧樺太生まれ。終戦に伴って北海道に引き揚げ、滝川市で高校生活を送る。北海道大学獣医学部を卒業したあと旭川保健所に勤務。その後、１９６７（昭和42）年の旭山動物園の開園に携わり、定年退職した１９９５（平成７）年までの10年間は、園長の重責を担った。

北大時代は、恵迪寮《けいてきりょう》の仲間とともに演劇研究会で活動。動物園勤務時代の１９６４（昭和39）年には、演劇研究会で知り合い結婚した妻の叡子さんや、地元の東旭川の青年団の若者とともに劇団「やまなみ」を立ち上げる。

「―旭川文芸百年史シリーズ⑥―旭川演劇百年史」（北けんじ）によると、「やまなみ」は創立に当たり、「今日の生活、未来への希望を働く仲間とともにうたいあげる演劇の創造」をテーマに掲げ、いわゆるリアリズム演劇を追究した。

第１回公演は１９６４（昭和39）年7月上演の「おんにょろ盛衰記」（木下順二作）。その後も、菅野さんをリーダーに、劇団は数々の社会性のある戯曲に取り組むなど、長く旭川の演劇活動を牽引した。

菅野浩さん

星野由美子さん

１９２７（昭和２）年12月7日、旭川生まれ。父は、今回の市民劇の主要な登場人物でもある画家の高橋北修である。

１９５９（昭和34）年、劇団「河」に創設メンバーとして参加。「河」は、１９７０年代以降、唐十郎、清水邦夫らの作品の上演で注目を集め、星野さんは、その中核として俳優のほか、演出も担った。

特に清水作品の上演では、長年に渡る作者本人との交流をベースに次々と優れた舞台を生み出し、１９７６（昭和51）年には、新作「幻に心もそぞろ狂おしのわれら将門」を、作者本人の演出で初演し、全国的な注目を集めた。

２０１７（平成29）年には、長く休止状態だった「河」の復活公演が行われ、星野さん自身も舞台に復帰。その後は、小熊秀雄を中心とした詩の朗読にも取り組んでいた。

２０２０（令和２）年2月の旭川歴史市民劇予告編（プレ公演）では、高橋北修の長女、星野由美子本人役で出演したが、これが最後の舞台となった。

ゴールデンエイジの旭川に生まれた星野さんは、我々にとって、あの時代と今を結ぶ架け橋のような存在であり、市民劇の象徴のような存在だった。

最後の舞台姿
（2020年・旭川歴史市民劇予告編）

「幻に心もそぞろ狂おしのわれら将門」
での星野さん（1976年）

公演記録とキャスト・スタッフ

予告編（プレ公演）の記録

◆タイトル　「旭川青春グラフィティ　ザ・ゴールデンエイジ　予告編」
◆日　　時　２０２０（令和２）年2月15日（土）19：00〜
　　　　　16日（日）14：00〜
◆場　　所　旭川市民文化会館小ホール
◆主　　催　旭川歴史市民劇実行委員会
◆共　　催　公益財団法人　北海道文化財団
◆後　　援　北海道　旭川市教育委員会　北海道新聞旭川支社　ＮＨＫ旭川放送局
　　　　　あさひかわ新聞　㈱ライナーネットワーク　旭川信用金庫
◆観客数　４８５人（15日・２１８人、16日・２６７人）
◆キャスト　五十音順　（　）は配役

安齋　英樹（齋藤　瀏）
五十嵐直人（ウメハラ＝梅原　竜也、男1）
石川　慶太（ラジオの声）
大越　正和（客2）
櫻庭　忠男（男）
佐藤　愛未（女2）
佐藤めぐみ（齋藤　キク、女給3）
佐藤竜太郎（極粋会の男2、男2）

予告編（プレ公演）カーテンコール

塩野谷ひとみ（女給2）
島野　浩一（カタオカ＝片岡愛次郎）
鈴木　和彦（高橋　北修）
滝本　幸大（極粋会の男3、男3）
那須　敦志（付添人）
長谷　周作（小熊　秀雄）
細野　葉月（佐野　文子）
三島実久里（女給4、若山喜志子）
宮川　紗綺（齋藤　史）
山本　俊輔（ヨシオ＝渡部　義雄）
脇　慎一郎（速田　弘）
星野由美子（星野由美子）

柴田　睦実（女給1）
杉尾　勇人（佐藤市太郎）
高井　尚樹（活弁士）
谷口　怜士（極粋会の男1、男4）
野口　博人（タケシ＝塚本　武）
細川加菜美（小熊のファン）
間藤　洋子（女1）
三原　一仁（客1）
矢吹　綾（女給5）
吉田　卓（若山　牧水）
ワダタワー（スタルヒン父）

◆スタッフ

脚本――那須　敦志／赤玉　文太
演出――高田　学
副演出――島野　浩一

予告編（プレ公演）から①

予告編（プレ公演）フライヤー

舞台美術――川谷大道具
宣伝美術――ワダタワー／竹田　郁
音楽・映像オペレーター――半田　渉　g.f music
映像制作――武野　郁也　スモールライト㈾
照　　明――野中　茜　㈲サウンド企画
ピンスポット操作――土井よしえ　㈲サウンド企画
音　　響――中村　俊幸　旭川市民文化会館スタッフ
舞台監督――長内　佑明　㈲サウンド企画
衣装・メイク――井盛　孝幸
衣装補助――溝口起代美／川谷　博子
振　　付――TAKE
小　道　具――五十嵐直人　モザイクコザイク
パンフレット編集――有村　幸盛
活動記録――三原　一仁／中村　恵子
稽古場長――盛安　俊裕

予告編（プレ公演）から②

予告編（プレ公演）から③

会　　計――――――――斎藤　順子
総合プロデューサー――――那須　敦志
制作プロデューサー――――川谷　孝司
アシスタントプロデューサー―斎藤　ちず

本公演の記録

◆タイトル　「旭川青春グラフィティ　ザ・ゴールデンエイジ」
◆日　　時　2021（令和3）年3月6日（土）19：00～
　　　　　　　　　　　　　　　7日（日）14：00～
◆場　　所　旭川市民文化会館小ホール
◆主　　催　旭川歴史市民劇実行委員会
◆共　　催　公益財団法人 北海道文化財団　旭川市　旭川市教育委員会
　　　　　　（芸術文化振興基金助成事業）
◆後　　援　北海道　旭川信用金庫　北海道新聞旭川支社　NHK旭川放送局　あさひかわ新聞　㈱ライナーネットワーク　NPO法人旭川文学資料友の会　三浦綾子記念文学館　旭川市民劇場　㈱旭川シティネットワーク
◆観 客 数　292人（6日・148人、7日・144人）

本公演から①

（コロナ感染対策のため、客席はキャパの約半分に制限）

◆**キャスト**　五十音順（　）は配役

安齋　英樹（齋藤　瀏）
加藤　識泰（小池　栄寿）
小池　幸範（酒井　廣治）
佐藤めぐみ（女給1＝サクラ）
柴田　睦実（ハツヨ＝江上ハツヨ）
鈴木　和彦（カタオカ＝片岡愛次郎）
高田　正基（竹内　武夫）
田中　銀河（ヴィクトル・スタルヒン）
中山　僚太（エイジ＝江上　栄治）
野口　博人（タケシ＝塚本　武）
細川加菜美（イクミ＝竹本いくみ）
前田　歩（ウメハラ＝梅原　竜也）
間藤　洋子（綾子の祖母）
三島実久里（女給2＝スミレ、ヒトミ＝中田ひとみ）
宮川　紗綺（齋藤　史）
吉田　卓（極粋会の男2＝ツルオカ）

池本　夏希（堀田　綾子）
沓澤　章俊（今野　大力）
佐藤　愛未（女給3＝ユリ）
柴田　望（鈴木　政輝）
杉尾　勇人（高橋　北修）
高井　尚樹（活弁士、演歌師、金魚売り）
滝本　幸大（トージ＝松井　東二）
谷口　怜士（極粋会の男1＝サルタ）
那須　敦志（町井　八郎）
長谷　周作（小熊　秀雄）
細野　葉月（佐野　文子）
松下音次郎（佐藤市太郎）
山本　俊輔（ヨシオ＝渡部　義雄）
脇　慎一郎（速田　弘）

本公演から②

本公演から③

◆スタッフ

脚　本――那須　敦志
演　出――高田　学
舞台美術――川谷　孝司
宣伝美術――ワダタワー／竹田　郁
時代考証――東　延江／岡本　達哉
三原　一仁／那須　敦志
音楽・効果音――半田　渉　g.f music
映　像――武野　郁也　スモールライト㈾
照　明――野中　茜　㈲サウンド企画
音　響――佐藤　拓也　㈲サウンド企画
舞台監督――川谷　孝司　川谷大道具
補　佐――長内　佑明　㈲サウンド企画
補　佐――伊藤　嘉大　演劇ユニット41×46

本公演から⑤

本公演から④

メイク・衣装 ―― 佐藤真由美　HAPPY DANCE STUDIO
阿部真由美　HAPPY DANCE STUDIO
吉田あやか　HAPPY DANCE STUDIO
川谷　博子

ヘアデザイン・ヘアメイク ―― 鈴木　学　旭川理容美容専門学校
佐藤　香織　旭川理容美容専門学校
渡邉くるみ　旭川理容美容専門学校
小須田美裕　旭川理容美容専門学校

衣装製作 ―― 井盛　孝幸

劇中料理準備 ―― 井代　亮子　ぐすぺり

DVDコンテンツ制作 ―― ㈱アイディアサンタ

動画撮影・編集 ―― 石川　秀幸　Twin Creative Office
池崎　弘明　㈱アイディアサンタ

動画撮影・スチール ―― 竹内　正樹　でじたるパパ

パッケージデザイン ―― ワダタワー

アナウンス ―― 矢吹　綾

本公演パンフレット

本公演のラストシーン

パンフレット編集――有村　幸盛／菅原さとみ
活動記録――三原　一仁／中村　恵子
稽古場長――盛安　俊裕
会　計――斎藤　順子

総合プロデューサー――那須　敦志
制作プロデューサー――川谷　孝司
アシスタントプロデューサー――斎藤　ちず

実行委員会と事務局

実行委員会

実行委員長　原田　直彦

副委員長（50音順）　鎌田　嘉範　波岸　順子

実行委員（50音順）
東　延江　岡本　達哉　工藤　稔　児玉　真史　白井恵理子
高橋　仁美　東郷　明子　富川　泰志　長崎　尚人　則末　尚大
橋爪　弘敬　樋口　一枝　久木佐知子　松本　道男　森山　領
山下　裕久　山田　洋

顧問（50音順）
菅野　浩（故人）　星野由美子（故人）　森　禎宏　山内　亮史

事務局

事務局長
中村　康広

事務局員（50音順）
有村　幸盛　石川　慶太　大越　正和　工藤　和枝　斎藤　順子
佐々木　清　菅原さとみ　中村　恵子　松下音次郎　三原　一仁
盛安　俊裕　矢吹　綾　山本　千草

Special Thanks

南　参（yhs）　久保　隆徳（富良野GROUP）　劇団ひまわり

HAPPY DANCE STUDIO　北海道新聞旭川支社　NHK旭川放送局
詩誌「フラジャイル」　TAKE　三和・緑道商店会
佐賀　珠江　那須真理子　光岡　慎二　中村　幻太　青柳　上
登野　泰信　酒井　清一　塩野谷ひとみ

旭川歴史市民劇テーマ曲「ミライトソラト」

作詞　Nenə&Waka (g.f music)
作曲・編曲　半田　渉 (g.f music)
歌　Nenə&Waka

雨が似合う水無月　生まれた街の物語
聴こえる雨の音は　無邪気に笑いふざけ合った
あの日と同じ
悲しいとき　寂しいときも
力になれる　強く　優しい笑顔で

見上げた空　流れる雲　変わる景色をただ眺めていた
なつかしいあの歌　口ずさんだら
「大丈夫」と笑って　言えた

雨上がりの空に　見慣れた街は輝いて
聴こえる風の音は　面影を運んでくる
ただそれだけで
つながってる　会えないときも
いつも風は　あの日と　変わらないから

見上げた空　流れる雲　きれいなモノばかりじゃないけれど
この道の先には　何があるだろう?
歩いていこう　ときに迷いながら

見上げた空　流れた星　変わってくこの街の中で　いま
続いてく物語　歩いた軌跡を
つむいでく　果てしない　空へ

g.f music のYｏｕ Ｔｕｂｅチャンネルでミュージックビデオ公開中。

Nene&Waka（g.f music）

第2部

脚本

●オリジナル脚本＝２０２１書籍掲載バージョン

（登場人物）…（ ）内は初登場時の年齢

＊実在の人物

小熊　秀雄（23）　詩人で旭川新聞記者
高橋　北修（26）　画家
速田　弘（23）　カフェー・ヤマニ店主
齋藤　史（17）　のちの歌人
齋藤　瀏（47）　陸軍第七師団参謀長で歌人・史の父
佐野　文子（33）　元教師で社会活動家
佐藤市太郎（57）　活動写真館チェーン経営
酒井　廣治（31）　実業家で歌人
小池　栄寿（20）　教師で詩人
今野　大力（21）　郵便局勤務で詩人
鈴木　政輝（20）　日大生で詩人
町井　八郎（25）　楽器店店主
竹内　武夫（29）　北海タイムス旭川支局長

田上　義也（26）　建築家
加藤　顕清（30）　彫刻家
ヴィクトル・スタルヒン（11）　のちの大投手
堀田（三浦）　綾子（5）　のちの国民作家

＊架空の人物

ヨシオ（渡部義雄・15）　旭川師範学校生
タケシ（塚本武・15）　旭川師範学校生
トージ（松井東二・14）　アイヌの少年
ハツヨ（江上ハツヨ・16）　酌婦の少女
エイジ（江上栄治・18）　ハツヨの兄
カタオカ（片岡愛次郎・24）　旭川極粋会行動部長
ウメハラ（梅原竜也・24）　黒色青年同盟旭川支部長
女給1（サクラ・22）　ヤマニで働く
女給2（スミレ・24）　同右
女給3（ユリ・19）　同右
女給4（アカネ・21）　同右
女給5（モモ・18）　同右

極粋会の男1（サルタ・21）　カタオカの部下
極粋会の男2（カメイ・19）　同右
極粋会の男3（ツルオカ・20）　同右

同級生（クマガイ・15）　旭川師範学校生
綾子の祖母（63）
活弁士・演歌師・金魚売り（年齢不詳）

（このドラマは、実在の人物が数多く登場し、舞台上で起きる出来事も多くは史実を下地にしていますが、あくまでフィクションです）

（第1幕　ACT1　プロローグ）

舞台中央奥にスクリーン、上手脇に演題。

女給1登場。深々とお辞儀して「東西声」を発し、手にした垂れ幕を垂らす。

「大正十四年六月　四条師団通　第一神田館」

活弁士の声　え、もう始めちゃうの。待ってまだ準備ができていないんだから。え、くだくだ言うなって。そんな、あーっ。

舞台に押し出される活弁士。

活弁士　もう乱暴なんだからあ。（気を取り直して）えー、おほん……。お集まりの紳士淑女の皆さま、本日は、ご当地初の常設活動写真館、第一神田館への御来場、心より御礼《おんれい》申し上げます。これより上映いたしますは、「躍進する北都大旭川《ぐれいと》」でございます。お時間まで、ごゆっくりとご観覧ください。それではミュージック、スタート！

と、流れ出すのは、ご存じ「美しき天然」の哀愁のメロディー。同時に、カタカタと映写機が回る音。スクリーンには「躍進する北都　大旭川　The North Capital Witch Is Groing. Great Asahikawa」の文字。いにしえの旭川の映像が流れ始める。

活弁士　さて皆さま。この雄大な上川盆地に、神居《かむい》、旭川、そして永山《ながやま》の三村が設置されましたのは、今をさかのぼること35年前、明治23年の秋のことでございます。翌、明治24年には、まず永山、次いで旭川の両兵村《へいそん》に屯田兵が入植し、31年には、待望の旭川駅が開業いたします。２年後には、旭川村が旭川町に。さらに札幌からの陸軍第七《しち》師団の移駐が完了。駅前師団通は、名実ともに旭川一のメインストリートとなったのでございます。大正５年には旭川初の本格都市公園、常磐《ときわ》公園が開園。そして３年前の大正11年８月、悲願の市制施行により【注1】、旭川市が誕生したことは記憶に新しいことでございましょう。開村時、わずか３００人ほどだった人口も、いまでは７万を超えるほどに急増しております。今後も発展が見込まれる大旭川《ぐれいと》。どんな未来が待っているのか。50年後、１００年後の姿を見てみたいという思いに、熱く熱くかられるのでございます。……はい。こんなもんですかね。よろしいですか？　じゃ、これで試写、終わりまーす。……あれ、なんか焦臭くないですか？　そこ、映写機から火が出てるんじゃない？　やばい。火事ですよ、こりゃ。水、水ないの水。フィルムって燃えやすいんだからさ。あら、こりゃたまらない。

スクリーンにも火が。周りで騒ぐ声。

活弁士　（煙にむせて）……ダメだ。周りにも火がついて、手が付けらんない。みんな、逃げなきゃ。逃げてーッ！

真っ赤に染まる舞台。

暗転。

［注］

1　実際は1914（大正3）年の区制施行時の方が住民の喜びは大きかった（当時の区は市に準じる北海道のみの行政単位）。区制施行は札幌、函館、小樽に大きく遅れていたこと、市制施行は区制廃止による全道一斉の措置だったことがその理由。

（第1幕　ACT2）

女給2現れる（エピグラフ朗唱）。

女給2　おゝ平坦な地平に
人は皆打伏す時
我は一人楼閣を築かふ

人が又我を真似るならば
我は地下のどん底に沈む
あらゆる者の生長する時
我はいと小さくちゞんで行く
人が皆美しく作り飾る時
我は最もみにくゝ生きやう

（今野大力《こんのだいりき》「我が願ひ」より）

朗唱が終わると、手にした垂れ幕を垂らす。

「大正十三年十月
四条師団通　旭ビルディング百貨店　旭川美術協会展会場」

舞台明るくなると、そこはビル4階の催事場。展示される作品が壁際にいくつも立てかけてある。長身痩躯、眼光の鋭い男が作品を眺めている。画家、高橋北修（たかはし・ほくしゅう）26歳。一つ一つ手に取るが、どれも面白くない。1枚の抽象画を手に取るが、首をかしげる。と、作品を横にする。また首をかしげる。逆さにする。やはりなんだかわからない。首をかしげすぎて痛めてしまう。深いため息。そこに2人がかりで大きな絵を運んでくる若者。旭川師範学校1年の渡部義雄（わたべ・よしお）15歳と、塚本武（つかもと・たけし）15歳。その後ろにやはり大きな絵を抱えた同級生。

タケシ　北修さん。運んでいる最中にいなくなんないでくださいよ。俺ら指示してくんなきゃわからないんだから。

ヨシオ　（まあまあとと りなし）あの、これはどこに置けばいいですか？

北修　おお、失敬、失敬。そうだな、それは……こ、ここらへんだな。あと、それは、そ、そっちな（あせると、少しどもる人のようだ）。

3人、指示された場所に絵を運ぶと、すわりこんで汗を拭く。

タケシ　やっぱり旭川一高いビルディングだけあるわ。4階まで何度も往復するのはしんどいや。北修さん、話が違いますよ。ちょっと絵飾るだけって言ってたのに。これじゃ出面賃《でめんちん》、奮発してもらわなきゃ。なあ。

ヨシオ　（振られて困る）いやあ、といってもねえ……。

タケシ　こいつなんか、かなりへばってますよ。

同級生　（笑うしかない）いやあ、あははは。足、パンパン。

北修　（絵の梱包を外しながら）何言ってんだ。体鍛えるいい機会じゃねえか。したら、そのままちょっと休憩してろ。

3人　へーい。

北修　（梱包を解いた絵を見る）こーれもわかんねえな。どーも俺にゃ、抽象画って奴は性に合わねえ。

タケシ　わからないと言えば、北修さん、下の階にもとんでもないのがありましたよ。何て言ったっけ、旭川新聞の記者さん。
ヨシオ　小熊秀雄《おぐまひでお》さんだよ。別名、黒珊瑚《くろさんご》。
タケシ　そうそう、黒珊瑚、黒珊瑚。でもたまげたわー。何描いてあんだかわかんないうえに、絵の真ん中に本物のシャケの尾っぽ、貼ってあんだから。
ヨシオ　コラージュって言うんですか。初めて見ました。
北修　……おう、お前らよく聞け。あんなのはな、こけおどしよ。あいつはなあ、変わったことをすりゃ、芸術になると思っていやがる。だいたいあの頭だってそうなんだ。あのもじゃもじゃがモダンだって言いやがる。

当の小熊秀雄23歳が、詩人仲間の小池栄寿（こいけ・よしひさ）20歳とともにやってくる。

小熊　誰がもじゃもじゃだって。これは天然のパーマネントウエイブと言ってほしいな。ところで喜伝司《きでんじ》、まだほとんど絵を飾ってないじゃないか。展示は任せろって言ったのは、お前だろ。
栄寿　まあまあ小熊さん。そのために出面賃払って旭川師範学校の精鋭に来てもらってるんだから。な、君たち、大丈夫だよな。
ヨシオ　……ああ、はい。とりあえず搬入は終わったんで。あとは梱包外して、飾るだけですね。
栄寿　（小熊に）と、いうことだそうですよ。
小熊　この子らかい。師範学校の文芸部ってのは。

栄寿　ああ（3人に）小熊さんとは初めてだっけ。

ヨシオ　あ、はい。（立ち上がって）あの1年の渡部義雄です。よろしくお願いします。

タケシ　（立ち上がって）同じく塚本武です。ほんとに黒珊瑚みたいなんですね（ヨシオに肘で脇を突かれる）。……なんだよ。

同級生　（立ち上がれない）あの、ぼくは……。

小熊　ああ、いいよいいよ、休んでて。（3人に向かって）旭川新聞で、文芸欄、社会欄を担当している小熊秀雄です。絵は本業ではないんだが、描くのは好きでね。な、喜伝司。

（答えない）

北修　（小声で）喜伝司って？

ヨシオ　北修さんの本名らしいよ。

タケシ

小柄だが、がっしりとした体つきの少年がやってくる。松井東二（まつい・とーじ）14歳。【注1】

トージ　小池さん。下の作業、終わりましたよ。あと何やれば。

栄寿　おう、悪いね。まだ細かい作業があるんだよな。

トージ　（いらだっている）早く片付けちゃいたいんですよね。これ終わったら、別のところで仕事あるんで。

栄寿　ああ、すぐ行くからさ。

トージ　……（不満）。

栄寿　いい？

トージ　（軽くため息）……わかりました。（ヨシオらを見ながら）俺ら、休んでるヒマないんで。よ・ろ・し・く、お願いします（出てゆく）。

タケシ　……何だよ、あいつ。感じわりーな。

小熊　……奴はトージ。松井東二。近文コタンじゃあ、ちったあ知られた顔さ。親父は腕の良い熊狩りだったんだが、事故で死んじまってね。だからあの年で、あれこれ稼いでる。たしか君らの一っこ下じゃなかったかな。悪いやつじゃないんだ……。おっと、ぼやぼやしてると、トージにしかられる。（ヨシオ・タケシに）そうだ、下はもう力仕事はないんで、彼借りて大丈夫かな？

栄寿　ええ、僕らは。

ヨシオ　じゃ、外した梱包は、まとめて縛っておくこと。別の子に取りに来させます。あと、掲示が終わったら、作品名と作者名を書いた紙があるんで、取りにきてください。では、ここは任せますよ。君、いいかい。じゃ（去る）。

栄寿　（急に元気になって、栄寿についてゆく）したっけ、また後でね。

同級生　何だ、元気あんじゃん、あいつ。

タケシ　（苦笑する）（小熊に）……あの、小池さんって、美術協会の事務局長さんなんですか？

ヨシオ　栄寿かい。いや、まったくの部外者さ。奴は教師で、やってるのは僕と同じで詩だ。美術協会には、こういう実務を仕切れるやつがいないんで借り出されてるってわけさ。ま、旭川の文化人の中では

小熊　貴重な人材なんだが、そこが詩人としての奴の限界ともいえる。……なんてえことを言いまして。

ヨシオ　どれどんな作品が来ているのかな（作品を見に行く）。
タケシ　（タケシに）……じゃ、俺らもやるか。
　　　　ああ。

　　　　2人、作業を始める。

　　　　（間）

北修　……ところで小熊よ。お前の推薦した「抽象画研究会」とかいう連中の作品、どうにかならんのか。何描いてるか分かんない絵見せられたって客は喜ばんだろうが。（小声で）お前のシャケもだけど……。
小熊　ああ？　聞き捨てならんことを言うな。お前は客を沸かせるために絵を描いてるのか？　第一、芸術は分かる、分からないじゃない。全身全霊で感じるもんだ。
北修　そんなこたあ分かってる。ただ上か下かもわかんねえ絵を見せられても、俺りゃ何も感じねえってことよ。
小熊　あーあ、情けないねえ。自分の認識を超えた作品に会うと、とたんに思考停止に陥る。喜伝司、だからお前はだめなんだよ。
北修　（切れる）言いやがったな。い、いつも言ってんだろ。俺はお前より3つも年上なんだから呼び捨ては止めれって。それから、き、喜伝司は言いにくいんで北修で通してるんだ。分かったか、この菊頭野郎。

小熊　菊頭たあなんだ。（ヨシオとタケシに）いいか、こいつはな、せっかく絵の修行に東京に行ったのに、震災にあって逃げて帰ってきた軟弱者よ。

北修　お前だって、せっかくあのおっかねえ東京に付いていってやったというのに、「詩、売れません」とか言って、２か月でとんぼ返りしたろうが。どっちが軟弱よ。

小熊　何を。

北修　何だ。

２人つかみ合う。

ヨシオ　ちょっと、ちょっと、止めてください。大人気ないですよ。

タケシ　そうですよ。まあ、いいじゃないですか。そんな喧嘩するような話じゃないじゃないですか。

小熊・北修　（その言葉に引っかかって２人を見る）ああ？

タケシ　……いや、止めましょうよ。喧嘩。

北修　お前、今なんて言った？

タケシ　いや、喧嘩止めましょうって。

小熊　いや、その前だ。

タケシ　えっ、ああ。……まあ、いいじゃないですかって……。

北修　おめえは？

ヨシオ　あの、大人気ないって……。

北修、小熊、離れる。

北修　まあ、いいじゃないか？　大人気ない？　お前ら何はんかくさいこと言ってんだ。俺らの世界に、まあいいじゃないかなんてことは、一つもないんだ。

小熊　そうだ。俺たちの主張は自分の命そのものだ。それを否定されるってことは、自分を否定されるってことだ。

北修　そうよ。お前ら、そもそも何なんだ。何をもって俺らの話をどうでもいいと断じるんだ。

ヨシオ　（気圧される）何をもってとか言われても……（タケシを見る）。

タケシ　（泣きそう）……そんな大それた意味は……。

小熊・北修　ああ？

2人　（互いに目配せして）ごめんなさい。許してください！（深々と頭を下げる）

小熊・北修　（そのプライドのなさにあきれる）……。

小熊　……ダメだ、君たち、全然ダメじゃないか！

と、そこに同級生が駆け込んでくる。

同級生　（息を切らせて）あの、たいへんです。小池さんが、小熊さんにすぐ来るようにって。

北修　ん？　どうした。なんかあったか。

同級生　それが、野良犬が下の階に入り込んで……。

北修　野良犬？　野良犬がどうした。
同級生　絵を、小熊さんの絵を、齧ってるんです！
皆　（顔を見合わせ）エーっ！

暗転。

［注］

1　架空の登場人物であるが、旭川の熊の木彫りの創始者とされる実在の人物、松井梅太郎《まついうめたろう》、及び彫刻家の砂澤ビッキをモデルとしている。

（第1幕　ACT3）

女給4現れる（エピグラフ朗唱）。

女給4　こゝに理想の煉瓦を積み
こゝに自由のせきを切り
こゝに生命《いのち》の畦《あぜ》をつくる
つかれて寝汗掻くまでに

夢の中でも耕やさん

（小熊秀雄　「無題（遺稿）」より）

朗唱が終わると、手にした垂れ幕を垂らす。

「大正十四年八月　四条師団通　カフェー・ヤマニ」

速田の声　大正14年夏、我がヤマニ軍は、総力をあげて攻撃するも敵の固い守りに跳ね返され、兵糧も残り少なくなるという窮地にあった。

女給1　隊長殿。われらヤマニ軍。攻勢をかけるも、敵、お大尽の懐はいっこうに緩まず、苦戦を続けております。

女給2　それはお前たちの攻撃が手ぬるいからだ。

女給3　どうすれば、よいでありますか。

女給2　もっと敵のふところに潜り込み、密着して守りを突破するのだ。

女給1・3　はい、隊長殿。もっと敵に密着して攻略します。

女給2　よし、いけー。

テーブルの客1（竹内武夫《たけうちたけお》）に近づく。

女給1　たーさん。きょうは一段といい男。
女給3　ほんと、ほんと、お近づきになりたいわぁ。
客1　なんだなんだお前たち。急にお世辞なぞ言い出して。だがわしはそんなことには騙されんぞ。
女給3　あら、たーさんのいけず。そんなことおっしゃってー。
女給1　わたしたち、そんな下心はありませんのよ。
女給3　そうよ、そうよ。たーさんがほんとに素敵だから言っているのに、そんないい方されると悲しいわ。しくしく。
女給1　わたしもしくしく。
客1　いやいやお前たち、そんなつもりで言ったんじゃないんだ。ごめんよ、ごめんよ。さあ、機嫌を直しておくれ。
女給1　やっぱりたーさん。やさしいわー。きょうはたくさんサービスしちゃう。
女給3　わたしも、わたしも。
客1　ほうほう、こりゃ極楽。
女給1・3　（エア機関銃で）隙あり。ダダダダダ。
客1　や、やられたー。（倒れる）。
女給2　（女給4・5に）よし次！　お前たちはどんどん酒の弾を撃ち込んで、警戒心をなくしてしまうんだ。
女給4・5　はい、隊長殿。どんどん酒の弾を撃ち込んで、酔わせてしまいます。
女給2　いけー。

客2（町《まち》井《い》八郎《はちろう》）に近づく。

女給4　まーさんって、本当に男らしい。さ、空けちゃってくださいな。
客2　そうかい（飲み干す）。
女給4・5　（拍手）すごーい。さっすがー。
女給4　さ、もう一杯どうぞ。
女給5　あら、今度はわたしよ。まーさん、わたしのも一気にどーぞ。
客2　え。大丈夫かな。
女給5　大丈夫よ。まーさんなら。男の中の男だもの。
客2　そうかい（飲み干す）。
女給4・5　（拍手）すごーい。惚れ直しちゃう。
客2　（べろべろに）いやあ、こりゃ天国、天国。
女給4・5　（エア機関銃で）隙あり。ダダダダダ。
客2　いかん、わしもやられたー（倒れる）。
女給5　大正14年夏、こうしてヤマニ軍は、各戦闘員の奮闘で大勝利をおさめたのであった。
女給2　いいかみんな勝どきだ。
女給たち　エイエイオー。
女給2　もう一度。
女給たち　エイエイオー。

音楽始まる。「浅草行進曲」ならぬ「旭川行進曲」。はつらつと歌い踊る女給たち。

恋の灯かがやく　真赤な色に
胸のエプロン　どう染まる
花の旭川　なみだ雨

妾《わたし》やカフェーの　渦巻く煙《けむ》に
泣いて笑うて　仇なさけ
恋の旭川　なみだ雨

化粧直して　誰知らさねど
今宵一夜の　命なら
夢の旭川　なみだ雨

（原曲「浅草行進曲」　作詞　多蛾谷素一　作曲　塩尻精八）

途中から速田のナレーション入る。

速田

皆さま、盛大な拍手ありがとうございます。お贈りいたしましたのは、わがカフェー・ヤマニ恒例の3分間劇場「ヤマニ女給軍・激闘編」でございました。では、この後もごゆっくりおすごしください。

速田弘（はやた・ひろし）が入ってくる（カフェー・ヤマニ店主・23歳）。ポマードで頭を固めた伊達男。カウンターで速田を迎えるタケシ。

タケシ　大将、お疲れ様でした。
速田　おお、ありがとう、ありがとう。タケシ君、君もボーイ姿が様になってきたね。
タケシ　ここでお手伝い始めてもう1か月ですから。
速田　でもいいの、学校のほうは。
タケシ　大丈夫ですよ。大将の弟子しているだけで「社会勉強」になりますから。
速田　ま、うちは助かるんで、いいんだけどさ。

ガランガランと入口のドアの鐘が鳴る。店に入ってくる小熊、北修、ヨシオ。

速田　これは、これは、北修さん。あれ、小熊さん、上京したと聞いていましたが。
北修　それが、また戻ってきちまったのよ。今度は（指を折って）3か月。
小熊　まあヤマニが恋しくなっちゃたってとこさ。それより紹介するよ。渡部義雄君。我が詩人の集いに参加したての有望株。こっちは旭川カフェー界の風雲児、速田弘大先生。
北修　別名、ヤマニの大将な。

女給たち　大将ー。
ヨシオ　大将、はじめまして。
速田　初対面で大将はよしてよ。ま、ここはお酒を飲まない人も来るところだから、たまに顔みせて下さい。
ヨシオ　はい、ありがとうございます。
速田　そうだ、北修さん。時間あります？　今度の催しで手伝ってもらいたいことがありまして。
北修　おお、いいよ。大将の頼みとあらば、なんなりと。

2人店の奥に。小熊は、店にいる詩人グループの席に。

タケシ　（ヨシオを引っ張って）なしたのさ、お前。こんなところに来て。
ヨシオ　詩の集まりがあるからって小熊さんに呼ばれたのよ。それにお前のことも気になってたし。……それにしても（見渡して）さすが旭川一のカフェーだな。
タケシ　そりゃそうよ。ここの大将は何をやってもセンスがいいのさ。
ヨシオ　お前はさ、なんでも影響されやすいんだから。……まあいいや。ここって旭川の文化人のたまり場なんだろ？　どういう人が来んの？
タケシ　教えてやるかい。
ヨシオ　え、お前。そういう人たちのこと、知ってんの？
タケシ　当たり前よ。じゃ、女給さんたち、手伝ってくださいねー！

女給たち　はーい！
タケシ　まずはこの三人。

タケシが指を鳴らすと3人にスポット。町井八郎（まちい・はちろう）25歳、竹内武夫（たけうち・たけお）29歳、田上義也（たのうえ・よしや）26歳。

タケシ　この人は町井八郎さん。吹奏楽にかけちゃ旭川で一番。のちに旭川音楽会の父と称されるんだ。
町井　あ、町井です。三条通で楽器店を経営しております。
女給1　隣は竹内武夫さん。北海タイムスの支局長さん。ちょっと先になるけど、この二人の発案ですごい企画が始まるの。
竹内　はい。四年後になりますが、音楽大行進という催しを始めます。
女給1　これは長く続きそう！
女給2　すごいと言えば、こちらの方も！　札幌から来ている田上義也さん。帝国ホテルを設計した世界的な建築家の弟子なんだって。
女給3　このあと、私たちのヤマニをかっこよく改装してくれるんです。
田上　はい、いずれも速田さんの依頼ですが、旭川では3つのお店の設計をさせていただきます。
タケシ　では次！

別の場所の3人にスポット。加藤顕清（かとう・けんせい）30歳、酒井廣治（さかい・ひろじ）31歳、佐藤市太郎（さとう・いちたろう）57歳。

女給4　この人は加藤顕清さん。去年帝展に入選したすごい彫刻家さん。

加藤　私、今は東京で活動してますけど、育ちは旭川でね。今回は個展を開くために帰ってきてます。

女給5　この方は短歌の酒井廣治さん。東京時代は北原白秋の一番弟子と呼ばれた人なんだけど、実業家でもあるの。

酒井　はい。のちに旭川信用金庫の初代理事長をさせていただきます。

タケシ　そしてこちらは佐藤市太郎さん。速田さんはヤマニの大将だけど、こちらは活動写真館、神田館の大将。道内に10館以上も映画館を持ってたんだ。ただ初めに見てもらったけど、旭川の第一神田館は、まもなく火事で燃えちゃうんだけどね。

佐藤　え、なに火事って。何の話？

タケシ　ああ、ごめんなさい。独り言だから気にしないで。（ヨシオの方を向いて）ま、こんなもんだ。

佐藤　気にしないでったって。

タケシ　以上、紹介でした！

佐藤、加藤・酒井になだめられながら退店する。

ヨシオ　お前、すごいな。なんか、預言者みたいなところもあったけど。

タケシ　ちっとは見直したかい？
ヨシオ　（何度もうなづく）
小熊　おーい。ヨシオ君。そろそろこっち来いよ。みんなに紹介するから。
ヨシオ　あ、すぐ行きます。（タケシに）したっけ。

詩人グループの席に行くヨシオ。そこには、小熊のほか、鈴木政輝（すずき・まさてる）20歳、今野大力（こんの・だいりき）21歳、小池栄寿の若手詩人たち。

ヨシオ　すいません、遅くなって。
小熊　彼が話をしていた渡部君だ。こっちが鈴木政輝くん。東京の日大に進学して、今帰省中だ。こっちは今野大力くん。郵便局で働いてる。栄寿は……あ、美術展の時に会ってるか。
政輝　渡部君、詩はいつごろから？
ヨシオ　半年ほど前からです。まだ自分の思いをどう表現していいか、わかんなくて……。
政輝　まあ、そういう時期は悩まずどんどん書くべきだと思うな。そうすれば自然と形ができてくる。今野君はそうじゃなかった？
大力　いや、僕もまだ自分の気持ちにふさわしい言葉が何日も出てこないことがあります。
小熊　なるほどねえ。でも珍しいな。大力がこういう席に出てくるのは。
大力　いいえ、鈴木君が帰ってきていると聞いたもんで……。
小熊　そうかそうか。諸君、これが今野大力だよ。友のためにあえて苦手な場にも出てくる。人間性だね。

今野　そんなことないですから……。

タケシの声　あの、すみません。困ります。

極粋会の男1の声　いーから、ここに入っていくのを見た奴がいるんだよ。

入口の鐘の音。タケシと極粋会《きょくすいかい》の男たち、店の中に入ってくる。続いて極粋会行動部長のカタオカ（片岡愛次郎・かたおか・あいじろう・24歳）も店内へ。白の麻のスーツ姿。

タケシ　営業中なんですよ。困ります。

極粋会の男1　うるせーんだよ、

タケシ　だから、ダメですって。

速田と北修が奥から出てくる。

速田　タケシくん。どうしたの、その方たちは？

タケシ　すみません大将。なんか探してる人がいるって。

極粋会の男2　おう、黒色《こくしょく》青年同盟のウメハラって奴な。ここにいるはずなんだわ。

速田　（あしらって）黒色青年同盟のウメハラさん？　何かの間違いじゃないですか。ここにはそんな人いませんよ。

極粋会1　このたくらんけがあ。ここに入るのを見た奴がいんだよ。

カタオカ　まあ、ちょっと待て。速田さんですよね。旭川極粋会行動部長の片岡です。実は、無政府主義者の一味がいましてね。そこのウメハラって男が、ある町工場《まちこうば》で悪さしたんですよ。

速田　はい。で？

カタオカ　そこで若い者が話をしようとしたら逃げましてね。で、探してたら、この店に、というわけなんです。お引渡し願えないですかね。

速田　でも、そういう方はいませんのでねえ。

カタオカ　速田さん。ご存じだと思うが、うちは純粋な愛国者の善意で支えられている団体だ。一方、黒色青年同盟っていうのは、アナキスト、テロも辞さない奴らです。ご理解いただけませんか。

極粋会2　おう、行動部長がこうやって言ってんだ。さっさと出せよ（突っかかろうとする）。

小熊　あーあ、今日日《きょうび》の蠅は、飛び回るだけじゃなく、ギャーギャー喚《わめ》くようになったんかね。うるさくってしょーがねえな。

極粋会3　俺たちが蠅？　いい度胸してんじゃないのよ。

北修　あのよ、お前ら極粋会ってのはあれだろ、辻川《つじかわ》のとっつぁんが会長なんだよな。

カタオカ　……そうですが。

北修　辻川源吉《げんきち》といやあ、元は博徒の顔役。今は足を洗って旭川有数の実業家よ。そうだよな。

カタオカ　おっしゃる通り。

北修　ただな。俺の知っているとっつぁんは、昔から堅気の衆を困らせるようなやり方は嫌いだったはずだ。だからよ（小熊を見る）。

小熊　おー分かった。なんなら俺が使いになろうか。そのとっつぁんとやらに来てもらうんだろ。

北修　ま、こいつらの出方次第だけどな。

カタオカ　……画家の高橋北修さんですよね。会長の名前を出されちゃ、ことを荒立てるわけにはいきませんわね。……わかりました。速田さん。ウメハラってのはね、東京から流れてきた男だが、すこぶる危険な奴なんだ。見かけた時は、ぜひ知らせていただきたい。いくぞ（部下とともに去る）。

（間）

速田　（小熊・北修に）すみません、なんか関わらせてしまって。

北修　いーってことよ。（カウンターにいるタケシに）それよりタケシも頑張ってたんじゃないの。やめてください、営業中でーす、なんてさ。

タケシ　そんな。からかわないでください。

栄寿　……あれ、タケシ君、なんか服変わってない？

政輝　あと、いつの間にヨシオ君、そっちに行ったの？

タケシ　えーと、それは、訳があって……。

ヨシオ　あ、ぼくも、タケシに言われて……（2人とも何か不自然）。

小熊　2人とも、もういいんじゃないか。そこで金庫番みたいに頑張っていたらバレバレだよ。ウメハラさんとやら、出ておいでよ。

カウンターの向こうに潜んでいたウメハラ（梅原竜也・うめはら・たつや）、タケシとヨシオの間からゆっくりと立ち上がる。黒色青年同盟旭川支部長。24歳。ボーイ姿。

ウメハラ　黒色青年同盟の梅原と申します。

タケシ　あの、さっき大将にカウンターの下にこの人がいるから、そばに立ってろって。で、もし見つかった時、ごまかせるかもしれないんで、服も交換して……。あと一人で不安だったんで、ヨシオにも来てもらいました。

速田　店の裏にこの人がいましてね。何か訳ありだったんで、入ってもらったんです。さ、こっちにおいでなさい。

ウメハラ　(カウンターから出てきて)皆さん、ご迷惑をおかけました。普段は、できるだけ仲間と一緒にいるようにしてるんですが……。

大力　……あの、聞いていいですか？

ウメハラ　はい。

大力　東京からきたと聞きましたが。

ウメハラ　はい。その通りで。

大力　では、震災の時に殺された大杉栄《おおすぎさかえ》や伊藤野枝《いとうのえ》と関係があったのではないですか？

ウメハラ　……そうですね。彼等とはとても近い所にいました。

大力　じゃ旭川には。

ウメハラ　……向こうでは常に憲兵に拉致される可能性がありまして。

大力　そうですか。……ありがとうございました。

ウメハラ　……では私はそろそろ。
速田　お仲間を呼んだ方がいいんじゃないですか。連中、まだうろうろしてるかも。
ウメハラ　いえ、大丈夫です。それに、これ以上迷惑は。
速田　でも……。
小熊　大将、本人が言ってんだから、いいじゃない。それよりウメハラさん。さっきカタオカなにがしが言ってた話だけど、俺の耳にも入ってるよ。労働争議に割り込んで、あんた町工場の社長を何日も大勢で囲んで吊し上げたそうじゃない。で、結局社長はこれだ（首を吊るしぐさ）。俺は、労働運動の意義は認めるが、それじゃ暴力だ。
ウメハラ　小熊さんでしたよね。失礼ですが、階級闘争ってのは、情が入っちゃダメなんですよ。特にこの旭川は、第七師団の城下町だ。軍関係者や右翼団体が街を闊歩してる。我々も時には非情にならなければならないんです。
小熊　だとしても…。
ウメハラ　（次第に高ぶってゆく）私はね、理念は語ったものの何も反撃しないで嬲り殺された大杉や伊藤とは違う道を行こうと旭川にやってきたんです。ここで私は逆襲の足がかりを作るつもりなんだ。…失礼。仲間が待ってますので。（お辞儀をして去る）。

（間）

北修　……右翼にアナキスト、師団通はにぎやかだね。

小熊　詩人に絵描き、女給に軍人。まだまだいるよ。だから世の中は面白い。なヨシオ君。
ヨシオ　え、あ。そうかもしれません。(タケシに) なあ。
タケシ　(同意しかけて) あ!
ヨシオ　何? どうした?
タケシ　……あの人、俺の服着たまま行っちゃった!

暗転。

〔第1幕　ACT4—1〕

女給3現れる (エピグラフ朗唱)。

女給3　あかしやの金《きん》と赤とがちるぞえな。
かはたれの秋の光にちるぞえな。
片恋《かたこひ》の薄着のねるのわがうれひ
「曳舟《ひきふね》」の水のほとりをゆくころを。
やはらかな君が吐息のちるぞえな。
あかしやの金と赤とがちるぞえな。

（北原白秋「片恋」）

朗唱が終わると、手にした垂れ幕を垂らす。

「大正十五年七月　四条師団通　カフェー・ヤマニ」

明るくなると、ヤマニの面々が恒例のミニステージの練習をしている。出し物は、浅草オペラの代表曲「ベアトリ姉ちゃん」をもじった「ヤマニのテーマ（ヤマニの姉ちゃん編）」。女給たち、歌に合わせて、寝坊助の新米女給（女給5）をからかうマイムと踊りを披露。

ヤマニの姉ちゃん　まだねんねかい
鼻からちょうちんを出して
ヤマニの姉ちゃん　なに言ってんだい
むにゃむにゃ寝言なんか言って
＊歌はトチチリチン　トチチリチン　ツン
歌はトチチリチン　トチチリチン　ツン
歌はペロペロペン　歌はペロペロペン
さア早く起きろよ

ヤマニの姉ちゃん　新米女給さん
なぜそんなにねぼうなんだ
さあ早く起きないか
もう店が開く時間だ
＊くりかえし

女給5　（2番に入ると、ベッドが次第に傾き、歌が終わったところで転げ落ちる。時計を見てびっくり。あわててかけ出してゆく）たいへん。遅刻しちゃうー！

（原曲「ベアトリ姉ちゃん」小林愛雄・清水金太郎訳・補作詞　スッペ作曲）

北修　（拍手しながら入ってくる）いいわ、なんまらいいわ。これ見たらヤマニのファンがまた増えるわ。
ヨシオ　（同じく入ってくる）素敵でした。歌は、浅草オペラですよね。
速田　よく知ってるね。大ヒットした「ベアトリ姉ちゃん」をもじったのさ。（女給たちに）ああ、みんなは休んでて。
女給たち　はーい（奥に消える）。
北修　いやー懐かしいねえ、浅草オペラ。東京時代はよく通ったもんさ。
速田　装置は北修さんに頼んだんだよ。あのベットが傾く仕掛けも北修さんのアイデアさ。
ヨシオ　はい。よくできてました。どうやって動かしてるんですか？

速田　うーん、それは……（ベッドの方を見る）。

タケシ　（ベッドの仕掛けから顔を出して）……俺だよ。（仏頂面で外に出てくる。ルバシカを着ている）北修さん、勘弁してくださいよ。中は狭いし、女は重いし。だいたいこのベッドだってほとんど俺が作らされたじゃないすか。絵の修業をさせてくれるっていうから弟子になったのに……。

ヨシオ　え、なに、お前、大将の弟子だったじゃん？

タケシ　いや店の手伝いはさせてもらってるよ。でも絵描きもかっこいいかなって。

ヨシオ　相変わらず、腰が据わんない奴だな。それにその恰好、いつも形から入るんだから。（北修に）いいんですか、こんなの弟子にして。

北修　装置作りはよ、手間がかかるからな。手伝いがいると重宝なんだよ。

タケシ　あーあ、俺もう北修さんの弟子やめよっかな。きついし、きったなくなるし。

北修　まあ、そう言うなって。俺についてるといいぞ。看板描きも覚えられるし、小唄だって、都都逸だって教えちゃうぜ。

タケシ　そんなの絵に関係ないじゃないですか。……（装置を指して）ちょっと直したいところがあるんですけど。手伝ってくれます？

北修　おう、いいよ。タケシ先生のご指示とあらば。

タケシ　止めてくださいよ。そういうの。……じゃ、そっち持ってください、いいすか。

北修・タケシ、ベッドを引きずって奥に。

速田　……なんか、いいコンビだね、あの2人。……そういえばヨシオ君。久しぶりだね。あ、そうか、先だっての十勝岳の噴火で富良野に行ってたんだ。
ヨシオ　はい。学校で支援隊が組織されたんで、参加したんです。2週間、上富良野に入ってました。泥流がすごかったって聞いたけど。
速田　そうですね。一面泥の海みたいになってて。これに100人以上も飲み込まれたのかって。
ヨシオ　同じ日に、旭川じゃ銀行がつぶれちまってね。うちは取引はなかったんだけど、周りはね。
速田　去年は、第一神田館の火事もありましたしね。
ヨシオ　そうだね。だからうちなんかが頑張って師団通を盛り上げなきゃならないと思うのさ……。それはそうと、どうなの創作の方は。
速田　ああ、そっちはなかなか。
ヨシオ　鈴木政輝君に続いて、今野大力君も東京に出たんだろう。［注1］
速田　はい、だから自分も頑張ろうと思うんですけど……。
ヨシオ　ま、焦らないことだね。
速田　……大将、上富の最初の1週間はタケシも一緒だったんですよ。言ってませんでした？
ヨシオ　え……そういや用事で休みますって。そうか、言ってくれたらよかったのに。
速田　照れ臭かったんじゃないですか。そういう奴ですから。
ヨシオ　なるほどね。

入口の鐘が鳴る。若い女が入ってくる。齋藤史（さいとう・ふみ）。17歳だが、大柄なのでもっと大人びて見える。大正モガ風の洋装に短い髪。

史 ……ごめんドさい。

速田 あ。

史 ごめんなさい。まだ開店前でした？

速田 や、そうなんですが……コーヒーですか？

史 ……ええ。

速田 では、大丈夫です。お入りになってください。すぐ支度しますから。

史 ……でも。

速田 いや、いいんです。（淑女をエスコートするように丁寧にお辞儀）どうぞお入りください。

史 （笑いをこらえて）それでは、失礼いたします。

タケシと北修が戻ってくる。

速田 タケシ君、いいところに来た。そちらのお客様にお水を。

タケシ お客様？　ああ、わかりました。（お盆と水の入ったコップを用意して、史のもとへ）いらっしゃいませ。……どうぞ。ご注文は？

速田 ああ、それは聞いてるんだ。（史に）コーヒーでよろしかったですよね。

史　ええ、お願いします。

タケシ　(史が美人なので、少し緊張している) それでは、あの、少々お待ちください。

史　(タケシがカウンターに戻りかけたところで) ……あの。

タケシ　(トーンが上がる) はい、なにか？

史　こちらは旭川一のカフェーと聞いてきましたが、ロシア風なんですね。

タケシ　ロシア風？

史　ええ、とっても素敵。

タケシ　(自分の服装に気付いて) ……ああ、これですね。これはあの、訳がありまして……。

史　(コロコロと笑う) とってもお似合いですわ。抱月《ほうげつ》、須磨子《すまこ》の芸術座の舞台に出てくる方みたい。

タケシ　(頭をかきながら) ごゆっくりどうぞ。

(間)

北修　……もしかしてあんた、齋藤参謀長のところのお嬢さんじゃないのかい？

史　……はい。齋藤瀏《りゅう》はわたくしの父ですが。

北修　やっぱりか。一度、そこの北海ホテルで、父さんと一緒にいるところを見かけたんだわ。そのとき、連れの小熊秀雄が、参謀長と娘さんだって。あ、俺は高橋北修と言います。

史　高橋さま。(立ち上がり) 初めまして、齋藤史と申します。(顔が明るくなる) そうですか、小熊さんのお知り合い。

北修　お知り合いって。まあ喧嘩相手って言った方がいいかな。

史　（コロコロと笑う）ああ、面白いお店。やっぱり来てよかった。［注2］

速田　あの、北修さんはね、絵描きさんなんですよ。（タケシにコーヒーを渡し）あ、これお願い。

史　そうですか、絵を。ああ、なので、こちらの方も（コーヒーを持ってきたタケシを見る）。

タケシ　んー、それは関係あるというか、ないというか……。（首をかしげて）着替えてこようかな。

史、コーヒーを美味しそうに飲む。ちらちらと眺める男４人。

速田　……あの、参謀長のお嬢さんって言うと、やっぱりお生まれは。

史　ええ、東京の四谷ですが、小学校は旭川の北鎮《ほくちん》小学校に通ったんです。今回は父もわたくしも２回目の旭川生活を楽しんでおります。

北修　そういえば、先週までお宅のところに若山牧水《わかやまぼくすい》が来てたんじゃなかったかな。歌詠みの。新聞で見たぜ。［注3］

史　はい。父は軍人ですが、短歌をやっております。なので、牧水先生とは、一・二度お会いしたことがあって、それが縁で訪ねていらしたんです。

速田　そういや小熊さんが新しい短歌の会を作るって言ってましたけど、関係あるんですか？

史　はい。牧水先生の歓迎の歌会を開いた時に、父や酒井廣治先生が、旭川歌話会《かわかい》を作ろうというお話になって。［注4］

速田　かわかい？

史　はい。歌とお話で歌話会。それで小熊さんに幹事をお願いしたところ、快く。
速田　そうか。奴さん、こんところ顔を出さないと思ったら、それで忙しいんだ。ま、こんな美人さんに頼まれれば、頑張るよな。なあ、ヨシオ君。
ヨシオ　え、あ、はい、そうですね。
タケシ　美人、みんな好きですからね。なんちゃって。
北修　歌話会にはあんたも？
史　はい。実は牧水先生が、あなたも短歌をやった方が良いとおっしゃってくださったものですから。
速田　短歌と言えば、そこのヨシオ君も小熊さんの集まりで詩を作っているんですよ。その会にも入れてもらえばいいのに。
ヨシオ　いえいえ、僕なんかが……。
史　あら、同じような年頃の方に入っていただけると、うれしいですわ。ぜひいらしてください。お待ちしておりますわ。
　（立ち上がり、トーン高くなる）ご、御親切に。あ、あ、ありがとうございます。
ヨシオ　おい、焦った時の北修さんみたいになってるっしょ。大丈夫かい。
タケシ　（コロコロと笑って）やっぱり楽しいお店。（コーヒーを飲み干して）ではわたくしはそろそろ。
史　お代はここにおきますね。（立ち上がり）それでは、皆さま、御機嫌よう。

　４人、立ち去る史をうっとりした目で送る。

速田　いやー、普段水商売の娘ばかり見ているせいか、新鮮だねー。（奥を見て）みんなには悪いけど。

北修　おうよ。何ちゅうか、年に似合わず、優雅と言うか。

タケシ　やっぱり、おじさん方も感じるところはおんなじなんですね。……ぜひいらしてください、お待ちしておりますわ、だってさ。たまんないねー、なあ（ヨシオをたたく）。

ヨシオ　（立ったまま、恍惚の表情）……。

タケシ　何よ。お前、どうしちゃったの？

ヨシオ　（ぶつぶつ、つぶやく）……。

タケシ　え、なに、何言ってんだよ。……ん？　天使？　天使ってなんだよ？

ヨシオ　……天使だよ、天使。（突然タケシの手を掴み）タケシ、スゲーよ。俺、天使を見ちゃったよ。わかんないの？　スゲーよ。天使が目の前に舞い降りたんだよオ！

暗転。

店の外に出た史。スポットライト。

史　（たたずみながら、つぶやくように歌う）

待てど暮らせど　来ぬひとを
宵待草《よいまちぐさ》の　やるせなさ
今宵は月も　出ぬそうな

（「宵待草」竹久夢二作詞・多忠亮作曲）

わたくしが初めて旭川の土を踏んだのは、大正4年の夏。6歳の時でした。親父様にわたくし、おかあさまにおばあさまの順で人力車に乗って近文の官舎に向かいました。通りを過ぎると、風の吹き抜ける長い橋にさしかかり、その下に大きな川が流れていました。親父様が後ろを向いて「旭橋と石狩川だよ」。下を向くと、葦の中に川面がキラキラと光って……。それはそれは美しゅうございました。

史、去る。

【注】

1 実際に大力が上京したのは1927（昭和2）年3月。

2 実際には、高級将校の娘である史が1人でカフェーに出かけることはなかったはずだが、ここでは、ヤマニに興味を持ち、思い切って飛び込んだという設定とした。このあとの歌話会のシーンでも、実際は同じ官舎街に住む軍人の娘などと一緒に参加したようだが、付添いはなしとした（上演用脚本では、付添いあり）。

3 このシーンでは牧水の来旭を5月の出来事としているが、実際はこの年10月の出来事。

4 このシーンではすでに結成されていたことになっているが、旭川歌話会の実際の結成はこの年11月。

（第1幕　ACT4—2）

女給5出てきて、手にした垂れ幕を垂らす。

「大正十五年十二月
常磐公園内上川神社頓宮《とんぐう》　旭川歌話会例会控室」【注1】

第七師団参謀長で歌人の齋藤瀏（47歳）と酒井廣治、小熊が入ってくる。

酒井　いや、いや、お疲れ様でした。おかげで、今回もいい会になりました。

瀏　これも名幹事のたまものだな。小熊君。本当にご苦労さま。

小熊　いえいえ、皆さんに手伝ってもらってるんで、なんとか役目を果たせてるんですよ。

瀏　でも旭川歌話会、本当に結成して良かった。毎回、やるたびに作品の質が上がっている。

小熊　やはり創作は、切磋琢磨が必要なんでしょうね。周りの刺激が、こんなにも大切なものかと再認識しました。

酒井　ま、そういう意味では、旭川の短歌界も大きな刺激を受けて飛躍したということでしょう。軍人歌人として知られる齋藤参謀長が旭川勤務になり、去年は白秋先生、今年は牧水先生が来てくれた。こうしたことがなかったら、歌話会結成の話など持ち上がりませんでした。

瀏　白秋の弟子である酒井会長【注2】が旭川に戻っていたことも大きかったと思いますよ。やはり地

酒井　元で中心になる方がいないとね。

瀏　いえいえ。それはそうと、きょうの歌話会で言うと、やはり史嬢ですね。前回は最高点だったが、きょうは別の意味で驚かされました。

酒井　（苦笑）。

小熊　（持ってきた短冊の中に作品を探す）これこれ。（短冊を示して）長髪の小熊秀雄が加わりて歌評はずみきストーブ燃えき（繰り返す）[注3]。……こりゃ、短歌を始めたばかりの人が作る歌ではありません。

酒井　（何と言ってよいか分からない）。

瀏　また本人を目の前にして、こうした歌を出すというのは……。や、父君を前にしてこれは失言でした。

小熊　いやいや、わたしは一向に。ただなりは大きいが、まだ子供ですから。含みは、やはりないのでしょう。

酒井　もちろんですよ。幹事の立場を忘れて、私があれこれ批評を言うので、印象に残ったのだと思います。

ヨシオ　まあ、ここはそういうことにしておきましょう（笑い）。

歌話会の備品などを抱えたヨシオとタケシが入ってくる。

小熊さん。これはこっちでいいんですか？

小熊　ああ初参加の君に手伝わしてしまって悪いな。タケシ君も会員でもないのに使ってしまって。
ヨシオ　僕は一番下っ端なんですから当然ですよ。こいつは、どうせ暇なんで。
タケシ　暇とはなにさ。お前が付いて来てくれって言ったんだろ。

遅れて史も入ってくる。明らかに緊張するヨシオ。

史　親父様。迎えの車が着きました。酒井先生もご一緒にどうぞ。
瀏　うん、お送りしましょう。どうせ師団の差し向けの車なんだから、遠慮せずに。
酒井　そうですか。それは助かりますが。でも史さんは？
史　わたくしはもう少しやることがありますから。
酒井　申し訳ないねえ。本当はあなたにお手伝いしてもらうのは気が引けるんだ。
瀏　いやいやそれは私が命じたんだ。（史を見て、わざと）もう女学校も出てしまったんだし、家でぶらぶらしているんだから。
史　あら、ぶらぶらとは失礼だわ。でも会のなかでは年少者ですから、当然のことです。親父様、あまりお待たせすると……。
瀏　ああそうだな。さ、会長。
小熊　あとは会場をもとに戻す程度ですから、気にせんでください。
酒井　そうかい。それじゃ。
瀏　では、失敬。

劉、酒井出てゆく。一同お辞儀して見送る。

ヨシオ　……さてと。

史　ヨシオさん。

ヨシオ　あ、はい！

史　始まる前は、時間がなくて失礼しました。やっと来てくださったんですね。ありがとうございます（お辞儀）。

ヨシオ　あ、いえいえ、なんもです（お辞儀）。

史　なかなかお見えにならないので、やはり短歌には興味がないのかなって。

ヨシオ　いえ、そんなことはないんですが、その……。

タケシ　ああ、こいつ、行きたくてしょうがなかったんですけど、いい作品持ってかなきゃ史さんに恥ずかしいって。

ヨシオ　（引っ張って）よけいなこと言わなくていいの。小熊さん、会場もとに戻すって言ってましたよね。僕らでやりますから。おい、行くぞ。

小熊　あ、ざっとでいいからね。……何あわててるんだ。

ヨシオ、タケシ去る。

（間）

小熊　史さんに会計をやってもらうと助かりますな。金の計算とか、全く苦手でね。

史　詩人さんで、お金の計算が得意な人って……やっぱり似合いません。

小熊　そりゃそうだ。史さんの言うとおり。

史　……あの、迷惑でしたか？

小熊　え？

史　きょうのわたくしの歌。

小熊　ああ。……突然、自分の名前が出てきたんで、少し驚きました。

史　それだけ？

小熊　うん。……斬新で、とても良かった。

史　（微笑む）わたくしが最初に小熊さんとお会いした日のこと、覚えていらっしゃいます？

小熊　もちろん。旭川に来られてすぐ、父君に会いに官舎にお邪魔した。その時ですよね。

史　親父様が新聞記者の方がいらっしゃると言うから、てっきり軍担当の方かと。

小熊　父君は軍人でありながら、歌集も出して、絵も描かれると聞いたんで、どんな人か会ってみたくなったんですよ。

史　でも親父様の前で、いきなり軍の悪口を言い出して。わたくし、なんて人なのと思いました。

小熊　いやー、思ったことは口に出してしまうたちなんで。……でも、父君は度量が広い。だから歌話会の幹事も引き受けたんです。ただこの長髪だけは、お嫌いのようですな。会うたびに、その黒珊瑚はどうにかならんかと言われる。

史　わたくしは、新聞に「黒珊瑚」という署名記事を見つけて吹き出しました。すぐ貴方だとわかりま

小熊　したから。それと、わたくし、小熊さんのこと、ずっと独身だと思ってたんですよ。最初に来られた時、男やもめなのでと、おっしゃってたから。

史　ああ、でもその時は確かに。

小熊　ええ、その後にご結婚されたんですよね。旭ビルディングの美術展に来られた小学校の先生。

史　はい、よくご存じで。

小熊　ええ、いろいろと探らせていただきましたから（いたずらっぽく微笑む）。

史　……そうか、じゃ僕の素行の悪いところは、みんな知られているんだ。

小熊　そうですわ。いろんな女性に声をかけている事とか、お腹の大きな奥さまを、樺太の実家に一人残して旭川に戻ってきた事とか。（わざと目を伏せ）奥さま、なんてお気の毒。

小熊　いやあれは……。話せば長くなるんだが、僕があれ以上いると母の機嫌が直らないと、本人が言うので……。

史　（さえぎって）勘弁してあげます。（笑う）そんなに言い訳なさらなくても。

小熊　……いや、失敬。

（間）

史　（目を合わさず）……わたくし、そろそろ旭川を去ることになりそうですの。【注4】

小熊　え？　それはもしかして父君の異動で……。

史　ごめんなさい。それ以上詳しくは……。

小熊　なるほど、失礼しました。
史　父もわたくしも旭川が好きなんです。だからとっても残念。
小熊　うーん、それはびっくりですね。
史　……（何かを言ってくれることを待っている）。
小熊　そうですか……。せっかく歌話会もできたばかりなのに、残念です。
史　（目を伏せ、暗い表情）
小熊　……でも史さんはぜひ歌を続けてください。僕は、短歌は古い芸術だと思っていたが、あなたの歌を見て思い直した。史さんはぜひ歌をやり続けてください。
史　……（顔を上げ）ありがとうございます。……小熊さん、ひとつお尋ねしていいですか？
小熊　……何でしょう？
史　小熊さんは、いずれまた東京に行かれるおつもりなんでしょう？
小熊　……うーん、ま、そうなるでしょうなあ。
史　どうしてわざわざ東京に行かれるのですか？　旭川には、良いお仲間と仕事場があって、とてもいきいきしているように見えますのに。
小熊　……確かにそうですね。いい仲間がいて、大好きな姉もいるし、なにより妻子を養うことのできる仕事もある。
史　なら。
小熊　でも、心の奥のもう一人の自分がそれじゃいかんと言うんですよ。それじゃ本物の詩は書けないって。……僕はね、弱い人間です。だから温かい所にいると、ちゃんと自分と向き合えなくなる。

史　創作って、そんなに不自由なものなのですの？　だったら、わたくしはやりたくない。

小熊　いやいや、それはね、自分がそうなんです。私という人間の業であり、それが使命なんですよ。あなたには、あなたの使命があるように。

史　……使命って、変えることはできないんでしょうか？

小熊　……。

史　……（窓の方へ）。

（間）

史　（後ろを向いたまま）……申し訳ありません。師団通まで送っていただけませんでしょうか。

小熊　……わかりました。お送りします。……ええと、ヨシオ君たちはどこにいるのかな。（奥に向かって）ヨシオ君、タケシ君。

2人出てくる。

小熊　ああ、そこにいたのか。会場の片づけは？

タケシ　はい。終わりました。……というか、とっくに終わってたんですけど。

小熊　ああ、ご免、申し訳なかった。で、もう一つ悪いんだが、僕は史さんを送ってゆくので。

タケシ　はい。社務所に声をかけるんですよね。どうぞ、遅くなりますから。（ヨシオに）な。

ヨシオ　はい、どうぞ、行ってください。
小熊　そう？　悪いね。（史に）じゃ。
史　（2人のところに行き）ヨシオさん、きょうは来てくれて本当にありがとうございました。じゃ、タケシさん、お言葉に甘えて、お先します。御機嫌よう。

2人去る。

タケシ　……いやいやいや、まいったんでないかい。
ヨシオ　……。
タケシ　……全くさ。部屋に入るったって、あの雰囲気じゃ入れないべさ。
ヨシオ　……。
タケシ　……あのさ。知ってる？　ここの、常磐公園のボートってさ、アベックで乗ると、別れちゃうんだって。（その場にふさわしくない話題と気付いて）あ、いっけね……。
ヨシオ　……そう、気ぃつかわないでいいべさ。
タケシ　何よ。
ヨシオ　いくら鈍感な俺だって分かるっしょ。あの会話聴いてりゃさ。……史さん、小熊さんのこと好きだったんだな。ものすごーく。
タケシ　……うん。まあな。
ヨシオ　しかも会った時からさ、ずっと好きだったんだわ。

タケシ　……そうかもね。
ヨシオ　で、せめて自分の気持ち、伝えておこうってさ。
タケシ　……そだねえ。
ヨシオ　もしかしたら、２人きりになることって、もうないかもしれないしさ。
タケシ　……うん、ま、そういうことなんだべな。……あれ、お前……（覗き込む）泣いてるんかい。
ヨシオ　……したってさ。史さんの気持ち考えたらさ。可哀想だべさ。
タケシ　……うん。……ま、俺はお前の方が可哀想だけどね。
ヨシオ　……うん、俺も史さんと同じくらい悲しい。

（間）

タケシ　……あのさ。俺、歌作ったんだけど、聞いてくれる？
ヨシオ　え、なに、歌ってなにさ。短歌のこと？　なんでお前が？
タケシ　いいじゃん。浮かんだのよ、歌。タケシ作。
ヨシオ　うん。
タケシ　いいか。……慰めの言葉探すも見つからず　初恋やぶれし友よ許せよ。
ヨシオ　……（吹き出す）なんなのよそれ、全然歌じゃねーべ。
タケシ　え、歌じゃん。
ヨシオ　歌じゃねーって。普通の会話、五七五七七にしてるだけだべさ。ほんとお前って。

タケシ　何よ。

ヨシオ　初恋やぶれし友よ許せよ、って、なんだよそれ。ククク。

タケシ　フフフ。

ヨシオ　……腹減ったな。どっか食いに行こうか。

タケシ　お、いいね。どこ行く？　お前の好きなとこでいいよ。

ヨシオ　……ヤマニでライスカレーかな。

タケシ　おお、こないだ大将が始めた奴な。うん、じゃ行くべ。

2人、出口へ。

ヨシオ　ライスカレー、タケシのおごりな。

タケシ　え、なんでよ。

ヨシオ　当然だろ。友よ許せよって謝ってんだから。

タケシ　なによそれ、意味わかんねーし。

など、じゃれあいながら退場。暗転。

［注］

1　今のような手頃なイベントスペースが街中になかった時代には、この頓宮や真久寺《しんきゅうじ》六角堂などが主に文化団体の会合に使われた。旭川歌話会が頓宮で開催されたことはないが、そうした事実を伝えたく、劇中ではあえて開催場所とした。

2　実際の旭川歌話会は、発足時、会長は置かなかった。酒井廣治は齋藤瀏らとともに顧問を務めた。

3　齋藤史の実際の作品だが、作ったのはゴールデンエイジ期ではなく晩年。

4　実際には軍人である父の異動を匂わすことはないと思われるが、あえてこうしたやり取りとした。ただし瀏の異動については、このシーンの前年11月、小樽新聞に少将への昇進が内定したという記事が掲載されている。このため、異動先は不明なものの、周囲には翌春には旭川から去ることになったと受け止められたはずである。

（第1幕　ACT4―3）

舞台そでに史登場。スポット。

史　十二月に入ると、いよいよ北海道らしい激しい吹雪がつづいた。土地に生れ育った人々が、落ち付きはらって冬に籠り、当り前の事として毎日の雪を眺め、平気に凌いで行くのが羨ましかった。折から、大正天皇の御容態についての報せがしきりにきこえていた。天皇崩御の知らせを受けた夜は、殊に寒く、絶えず父の勤めさきからかかる電話を待って、誰も寝るどころではなく、黙りあって座って居た。馬橇の鈴の音ひとつ聞えない、くらい夜であった。そしてわずか一週間の昭和元年が過ぎ、年が明け、昭和二年となった。

（齋藤史　散文集「春寒記《しゅんかんき》」から「師走の思い出」より・一部改変）

史、去る。かわりに女給1出てきて、手にした垂れ幕を垂らす。

「昭和二年三月　四条師団通　カフェー・ヤマニ」

午前中の店内。カウンターに速田。店内にはヨシオとタケシ、他に客はいない。ヨシオは新聞を読んでいる。

タケシ　あのさ、駅いかないの？
ヨシオ　……うん。
タケシ　うんじゃねーよ。史さんの出発、そろそろだべさ？
ヨシオ　……うん。
タケシ　あのさ。
ヨシオ　「熊本第六師団旅団長に栄転の齋藤参謀長御一家、きょう旭川を出発」。新聞にまで書いてあるんだもの。どうせ物凄い人なんだろ。おれなんか行ってもしょうがないべさ。
タケシ　でもさ。気持ち伝えておいた方がいいんじゃない？　後悔するよ。
ヨシオ　いいのよ。もう俺は踏ん切りがついたんだから。
タケシ　踏ん切りって何よ。

ヨシオ　踏ん切りは踏ん切りっしょ。だいたいさ、思うんだよね、どうかしてたんじゃないかって。よく考えたら、そんなすげえいい女かなーとか、思ってさ。

タケシ　お前だよ。ここで。天使が舞い降りた、とか言ってたやつ。まさに、この場所で。

ヨシオ　いやいや、天使って。ついそういう言葉が浮かんだだけなんだわ。俺、いちおう詩も書いてるしさ。（話している最中に史が店に入ってくる）まあ普通に考えたら、言い過ぎだよな。そうそう天使って言える人、いないしさ。それに史さん、結構、気が強い感じだし……。

史　え、気が強いって誰の事ですの？

ヨシオ　（慌てて立ち上がり）……ど、ど、どうしたんですか、はー、びっくりした。だって、きょうは……。

史　ええ、でも最後にヤマニの美味しいコーヒーを飲んでおかなくちゃと思って。そしたら親父様まで。

瀏が遅れて入ってくる。

瀏　……ああ、わかっとる。すぐに戻るから、少し待っていてくれ。（ヨシオを見つけて）おお、ヨシオ君。それに……。

タケシ　タケシです。

瀏　ああ、タケシ君。君らにも世話になった。ここでは、酒はよく飲んだが、コーヒーは飲んだことがなくってね。

史　大将、お願いできるかしら。わたくしと親父様と。

速田　よござんすよ。お2人に最後に飲んでいただけるなんて、光栄の限りです。でも駅で皆さん待って

瀏　おられるのでは。
史　いやいやどうせ固い挨拶ばかりだから、あまり早くいきたくないのが本音なんだ。
歌話会の皆さんには、先日、送別の歌会を開いてもらったんです。その時に御挨拶させていただきました。
速田　（タケシに）タケシ君、手伝ってくれるかい？
タケシ　いいすよ。

2人で手分けしてコーヒーを出す。

史　（飲んで）……ああ、おいしい。わたくし、ここのコーヒーの味は忘れません。
瀏　うん。こんなおいしいコーヒーがヤマニにあったとは。知らないでいて損をした気分だな。ますます旭川に思いが残る。

2人、コーヒーを味わいながら飲む。

速田　熊本へは直接行かれるのですか？
史　いえ東京の親戚のところに寄ってから向かうことにしています。
速田　向こうはもう暖かいんでしょうね。
史　そうですね。もう桜が始まっているんじゃないかしら。着いたときは、もう見れないかも。

速田　そうか、九州は経験済なんですね

史　はい。ここと同じで2度目です。

（間）

瀏　……そうだ、ヨシオ君。

ヨシオ　（居住まいを正して）あ、はい。

瀏　小熊君と一緒で、君も専門は誇らしいが、ぜひ短歌も続けてほしい。特に歌話会に君のような若い人が加わっていることはよいことだ。期待しているよ。

ヨシオ　はい。ありがとうございます。

瀏　それじゃ、あわただしいが、そろそろ行かねば。お代はここに。（史に）おい。

史　はい。先に車に乗っててらしてください。すぐ行きますから。

瀏　そうか。うん。じゃ御一同、お達者で（敬礼して去る）。

皆立ち上がり、見送る。鐘の音。

史　（ヨシオに）ヨシオさん、短い間でしたけど、本当にありがとうございました。

ヨシオ　（また居住まいを正して）いいえ、とんでもないです。

史　この3か月、わたくしの使命って何なんだろうって考えていたんです。

ヨシオ　使命……？

史　ええ。小熊さんに言われたんです。「あなたには、あなたの使命がある」って。

ヨシオ　……。

史　そうしたら、わたくしにとって大切なのは、毎日のなにげない暮らしや周りの方々との関わりのように思えてきました。だから、これからはそうした日常や人との関わりの中で生まれてくる言葉とともに生きていこうと思います。

ヨシオ　言葉とともに……。

史　ヨシオさんは、人にはない感性をお持ちの方と思います。創作がそうなのかはわかりませんが、ヨシオさんもきっとご自分の使命を全うされていくんだろうなって思います。

ヨシオ　……ありがとうございます。史さんもお元気で。

史　……行かなくては。（一堂に）それでは皆さま、御機嫌よう。（去りかけて、一度足を止め、店内を見渡し、外へ。鐘の音）。

舞台、ゆっくり暗くなる。舞台中央奥のスクリーンに、齋藤親子送別歌会の際の記念写真（実物）が映し出される。駅での送別の声が聞こえてくる。

男の声　それでは、齋藤少将閣下の御栄転を祝しまして、万歳三唱でお見送りしたいと存じます。齋藤少将閣下、バンザーイ。バンザーイ。バンザーイ（集まった人たち続く）。大日本帝国陸軍、バンザーイ。バンザーイ。バンザーイ（集まった人たち続く）。

途中から、軍靴の音。強くなる。スクリーンに、齋藤瀏、史のその後が映される。

・齋藤　瀏

昭和4年、第2歌集「霧華《きばな》」を出版。翌年、予備役となり、東京に住む。昭和11年、二・二六事件で決起した青年将校を支援したとして拘束、禁固5年の判決を受ける。昭和28年、74歳で死去。

・齋藤　史

二・二六事件では、旭川での幼なじみの青年将校が処刑される。以来、事件は、史の創作上の大きなテーマとなる。昭和15年、第1歌集「魚歌《ぎょか》」出版。戦後、現代短歌大賞など多くの文学賞を受賞。平成14年、93歳で死去。

暗転。

第1幕終了。

（第2幕　ACT5―1）

演歌師登場。バイオリンをキコキコ奏でながら歌うは「東京節」ならぬ「旭川節」。見ると、ACT1の活弁士のようだ。

師団通のにぎわいは
宮越　三浦の大旅館
いきな構えの丸井さん
四階建てだよ旭ビル
金子寿《ことぶき》　三日月で
寿司にうなぎに　そばに牛《ぎゅう》
ヤマニ　ユニオンでカフェ三昧
ラメチャンタラギッチョンチョンデ
パイノパイノパイ
パリコトパナナデ　フライフライフライ

（原曲　「東京節」添田さつき作詞　外国曲）

演歌師　いやー、なんて心地の良い晩ざんしょ。こんな晩に、師団通をブラついてるとね、小股の切れ上がったいい女とすれ違ったりするよ。と、女が紙入れを落す。「ちょいとお姉さん、落とし物ですよ」。

声をかけると、女ァ振り向くね。「あら、御親切なお方。お礼に一杯奢らせてくださいな」。てんで、そこらの店にしけこむね。さしつ、さされつ、しっぽりと。なんてたまんないねー、ほんとに。

と、安物の派手な柄、酌婦姿の女が裸足で逃げてくる。江上（えがみ）ハツヨ、16歳。演歌師とぶつかりそうになり、膝をつく。

演歌師　おっとあぶねえ。
ハツヨ　ごめんなさい（立ち上がり、行こうとする）。
演歌師　お、姉さん。落としもんだよ。（ハツヨが落とした写真を拾い上げる。そこには幸福そうな家族の姿が）紙入れじゃなくて、こりゃ写真か。
ハツヨ　あ、それ（引ったくるように取り、一瞬押し抱く）。……ありがとうございます（会釈して、走り去る）。
演歌師　……訳ありってところだねえ。

男たちがやってくる。あの旭川極粋会の男たちだ。

極粋会2　あのアマ、ふざけやがって。
極粋会1　なんだ、演歌師か。おい、女が走ってきたろ。どっち行った？
演歌師　え、女？　女、女ね。……ああ来た来た。来ましたよ。んー……そっち（ハツヨが行ったのとは見

極粋会1　当違いの方を指さす)。
(極粋会2・3に) おい、行くぞ。

男たち、去る。

演歌師　ばーか。なんだ、演歌師かって。何様のつもりだい。……せっかくいい気分だったのによ (ブツブツ言いながら去る)。

(第2幕　ACT5―2)

女給2が出てきて、手にした垂れ幕を垂らす。

「昭和二年六月　四条師団通　カフェー・ヤマニ」

客は北修だけ。けだるい午後といった感じ。女給1、3、5、めいめい掃除などしている。速田は北修の近くにいる。

北修　大将よ。何ちゅうか、昼間のカフェーってのは、あれだな。静かなもんだな。

速田　コーヒー一杯でも歓迎なんですけどね。でも、やっぱりヤマニは夜という印象があるようで。

北修　ふーん、そうなのかい。

速田　ところで、聞きましたよ。小熊さんと組んで、またきわどいこと始めたんですって。（声を潜めて）……ヌード写生会。

北修　（女給たちを気にして）きわどいって。あくまで芸術を追究する試みよ。

速田　（意に介さず）でも絵なんて描けない奴らが、ハダカ見たさに詰めかけてるって話じゃないですか。

北修　確かに、ウワサ聞きつけて、覗きに来る奴の方が多いんだわ。俺も小熊もそういう連中追い払うのに忙しくてよ。ハダカ描いてるヒマなんてないのさ。

速田　それはそれは。

北修　ただそれもいつまで続けられるんだか。

速田　え、なぜ？

北修　小熊だよ。また東京に行くって言い出してんのよ。

速田　ああ。でもまたおっつけ戻って来るんでしょう？

北修　いや、そうでもないのさ。なんせ3度目だからよ。前のように浮ついたところがないんだわ。

速田　そうなんですか。

北修　しゃーない。代わりに、タケシかヨシオ使うか。

速田　よしなさいよ。そんなところにあんな坊や連れてったら、鼻血出して、倒れちまうよ。

入口の鐘の音。

女給たち　いらっしゃいませー。

第1幕で登場したトージが入ってくる。

北修　おお来たか。ま、こっち来いよ。（速田に）こいつが話してたトージだ。ほらあいさつせんか。

トージ　（ペコっとお辞儀）……こんちは。

速田　初めまして速田です。

北修　おい。

トージ、風呂敷を解いて自作の木彫りの熊を出し、速田に渡す。

速田　いいのかい？　……こりゃ、見事だ。

北修　だろ？　頼みは2つ。ここにゃ旭川見物の客も来るだろ。だから会計のところにでも置いて、売ってやってくんないか。土産にいいだろ？

速田　そうですね。

北修　それと、こいつ、器用だからよ。装置作りの仕事がある時は、使ってやって欲しいんだわ。あと仲間と楽隊もやってるんで、伴奏もできる。

速田　わかりました。なかなか重宝じゃないですか。

北修　頼むな。（トージに）ほら、すぐ頭下げげんだよ。

トージ　（やはりペコっと）……よろしくお願いします。
北修　ほんとに、あいそがないんだから。
速田　まあまあ。

と、鐘の音。元教師でクリスチャン、社会活動家の佐野文子（さの・ふみこ）が入ってくる。洋装。33歳。

文子　こんにちは。
女給たち　いらっしゃいませー。
速田　いらっしゃい。あ、佐野先生じゃないですか。
文子　あら、支度中？
速田　いえいえ、ちゃんと開店してますって。
文子　そう？　人がいないからまだかと思っちゃって。
速田　かんべんしてくださいよ。
文子　コーヒーお願いね。（トージに気付き）あら。

なぜかバツの悪そうなトージ、文子に見つけられてわずかに会釈。

速田　なんだ、知り合いなんですか？
文子　まあ、ちょっとね。……そっちにいるのは北修さんね？　お久しぶり。奥さまはお元気？

北修　はい。あの、お、お元気です。

文子　絵はちゃんと描いてるの？　お酒ばかり飲んでいるんじゃないの？　またどっかで喧嘩したんじゃないの？

北修　いやいやいやいや、とんでもない。ま、真面目にやってますって。

文子　そうなの？　本業ほっといて、ろくでもないことやってるんじゃないの？　奥さんこぼしてたわよ。

速田　（文子を指して）先生、するどい！

北修　（速田を制しながら）いやいや、そんなことはありませんて。ちゃんと絵、描いてますって。（速田に）ちょっと向こう行って相手してくれよ。俺、苦手なんだよあの先生。

速田　わかりました。今コーヒーやってますから。そのあとね。

文子　なにそこでひそひそ話してんの？　また良からぬ相談でしょ。

北修　いえいえ、そんな。違いますって。（トージを呼んで）おい、トージ。こっち来て、真面目な仕事の打ち合わせしよう。な、真面目な。

北修、トージ、文子の様子を伺いながら、脇の席へ。

速田　（コーヒーを運んで）……どーぞ。久しぶりですね、先生。

文子　忙しかったのよ。中島《なかじま》遊郭なんだけど、一人逃げてきた娘がいてね。

速田　そうですか。でも、遊郭の奴ら、黙っていないでしょ。

文子　敷地の外に出てくるまでが大変なのよ。そこは、手助けできないから。出てきてくれたら、すぐ一

速田　緒に汽車に乗っちゃうんで、なんとかなるんだけど。
文子　女はそうですけど、先生ですよ。
速田　私？　私はいいのよ。危険は承知なんだから。
文子　去年でしたっけ？　遊郭のど真ん中で、逃げ出してここに来いって、自宅の地図入れたビラ撒いたの。
速田　はいはい。さすがにあの時は外に連れ出されたけどね。でも私は顔が売れてるから、簡単に手を出せないのよ。
女給3　さすが廃娼運動といえば佐野文子と言われるだけあるわ。肝が太いや。
女給1　（女給1に）廃娼運動って？
女給3・5　遊郭で働いている女の人を助ける運動みたいよ。
文子　かっこいい！
　　やめてよ。よけいに北修さんに怖がられちゃう。

と、裏口から、タケシが顔を出す。

タケシ　ああ、北修さん、よかった。（声をひそめて）ほかに誰かいる？
北修　いやこのメンツだけだけど。
タケシ　そうですか。（後ろに向かって）中入って。

ヨシオがハツヨに肩を貸して入ってくる。全員、目が点に。

北修　……ど、どうしたのよ、その娘《こ》？

タケシ　後で説明しますから。（ヨシオに）ここ座らせて。（女給5に）……水お願いします。

女給5　はい！（と、奥へ）

文子　いい？　見せてもらって。……けがは大したことないみたいね。

女給1　一体、どうしたんですか？

ヨシオ　店の裏にいたんです。裸足だし、転んで足くじいたって言うから、どうしたのって聞いたら、逃げてきたって。

タケシ　どうも極粋会に追われているようなんですよね。連中、血相変えて走っていったんで。

ハツヨ　（怯えている）……あの、すみません、迷惑かけて。すぐ出ていきますから。

北修　出てゆくって、とてもそんな感じじゃないな。なんか事情があんだろ？

ハツヨ　……。

文子　大丈夫。ここにいる人たちは、あんたを引き渡したりしないから。身なりから言ったら、どっかの店で働かされていたってところかい？

ハツヨ　……はい。15丁目の「たまや」って店で、酌婦してました。

女給1　え、たまや！

タケシ　知ってんですか？

女給1　ええ、まあ。

女給3　私も知り合いから聞いたことがある。あまりいい噂じゃないんだけど……。

ハツヨ　……はい。なので……。

北修　そっから逃げ出したってわけだ。あんたいくつだい？

ハツヨ　……もうじき17になります。

文子　じゃあその店で働くのは、わけがあるはずだね。

ハツヨ　……（考える）。

文子　いいよ、無理に言わなくても。

ハツヨ　……いえ、お話します。……私、江上ハツヨといいます。うちはもともと永山で雑貨を商っていたんですが、父さんが急に病気で死んでしまって……。そしたらたくさん借金があったことが分かったんです。で、借金を返せないのなら、ここで働けって。

速田　なるほどね。極粋会の連中、きっと、その店か金貸しに頼まれて、彼女を追ってるんでしょう。

ハツヨ　……わたし、お酒の相手をするだけならいいんです。でも来月からお客を取れって……。

一同、顔を見合わせる。

文子　わかった。ハツヨさん。わたしは佐野ってもんだけど、あんたみたいな境遇の娘《こ》のことはよく知ってるの。だから、安心なさい。

ハツヨ　いえ、そんな。見ず知らずの皆さんに迷惑かけるわけには……。（ふところから写真を出し）……あの、ここに連絡していただけないでしょうか。兄さんがいるんです。

北修　ん、どれ（写真を受け取る）。

ハツヨ　裏に居所が。

北修　（裏を見て）……こりゃ驚いた。（速田に渡して）兄貴は黒色青年同盟だってさ。

文子　黒色青年同盟って、聞いたことはあるけど。

速田　極粋会と対立してる団体ですよ。こりゃあ話が複雑になりそうだな。

ハツヨ　……兄さんは、父さんが死んだあと学校を辞めて。そしたら今度は母さんがふせってしまって、働きながら面倒を見ているんです。仕事を渡り歩いて、いまはそこで厄介になってるって言ってました。そこの人たちの力を借りて、店辞めさせてやるからもう少し待ってろって。

北修　……わかった。トージ、お前、ひとっ走り行って、この娘《こ》の兄貴呼んできてくんないか。時間、あんだろ。

トージ　……。

北修　ん？　どうした？

トージ　……それは勘弁してください。

北修　なんだよ、勘弁って。

トージ　……関わりたくないんすよ。極粋会の関係者は、顔の人が多いし、俺ら、ただでさえ邪険にされてんのに、余計なことして睨まれたくないすから。

タケシ　何よ、その余計な事って。

トージ　だから、お前ら学生と俺らは違うんだよ。

タケシ　何だって。

北修　わかったから。いいよ。……タケシ、行ってくれっか？

タケシ　北修から写真を受け取り、無言で裏口から出てゆく。

ハツヨ　……あの、兄さんが来たら、すぐ出てゆきますから。（トージに）あなたも、もうここにいない方が……。

トージ　……じゃ、悪いっすけど、俺はこれで。

北修　……。

トージ　（いったん外に出るが、すぐに戻り）北修さん。極粋会のやつら、すぐそこにいますよ。その娘《こ》、隠しといた方がいいですね。

北修　（同じ外をうかがって）……わかった。いいから、お前は行けよ。

トージ　それじゃ（出てゆく）。

文子　ここには、女給さんが着替える部屋かなんかないの？

女給3　あ、それなら2階に。

文子　じゃ、あなたは外に出て時間を稼いで。

ヨシオ　あ……はい。

文子　北修さんは、その娘《こ》おぶって2階に行って。

北修　え、俺？

文子　速田さんはここにいないと、おかしいから。

北修　……ああ、そうだな。

北修、速田らに手伝ってもらって、ハツヨをおぶり、女給たちとともに2階へ。

ヨシオの声　……だから、誰も来ちゃいませんよ。うたぐりぶかいなあ。（鐘の音とともに、後ずさりで入ってくる）。え、なにもごまかしちゃいませんよ。

極粋会1　（ヨシオを押しのけるようにして入ってくる）だから、はんかくせーことすんなって言ってんだろうが、この小僧はよ。

極粋会3　おう、邪魔するよ。

鐘の音。遅れて、極粋会の男3とカタオカが入ってくる。

カタオカ　速田さん。何故かここに来るときは、同じような状況だねえ。若い女が来ている筈なんだが、出してもらおうか。

速田　（とぼけて）若い女？　ここは若い女たくさんいるからね。

極粋会1　この店に逃げ込んだのは間違いないんだよ。

速田　そう言われてもねえ。お探しなのはどんな女なんですか？

カタオカ　うん。よくある話なんだが、借金を踏み倒して逃げてしまった女がいましてね。店主さんが困り果ててるんですよ。

速田　……で？

カタオカ　なんせ額が大きくてね。働いて返すからって頼むんで雇ったのに、恩をあだで返されたって。店主さんが泣いてるんですよ。あなたも水商売の経営者なら、わかるでしょ？

文子　（少し離れたところから）何が泣いているよさ。弱い立場の女を食い物にしているだけじゃない。

カタオカ　……これはこれは、そちらにいるのは佐野先生ではないですか。最近は、遊郭だけではなくて、カフェーにもお出かけなんですね。

文子　あんたもね、右翼なら右翼らしく、ちゃんと政治活動したらどう？　用心棒じゃないんだろ。

カタオカ　（無視して）速田さん、あなた、今は流行っているからいいものの、だんだんと商売がしにくくなりますよ。みんな借金の踏み倒しにゃ神経とがらせてるんだ。

速田　うちは借金のかたに女の子を働かせるような商売はしてないから関係ありませんね。（カタオカの目を見ながら）カタオカさん。そもそもこの店には、あんたたちが探しているような女はいない。帰ってくれるね。

カタオカ　……わかりました。佐野先生もおいでのことだし、きょうは引き揚げましょう。おい。（引き揚げかけて）……ただあまり深入りするのは止めた方がいいですよ。我々にもメンツがありますから……。では。

カタオカから去る。鐘の音。

速田　（ため息をついて）……あの人ももともとはおとなしい人だったんだがね。

ヨシオ　え、大将、知ってるんですか？
速田　ああ、同じ旭川だから、ちょっとはね。いまの役職に就いてからやたら肩に力入っちゃって。
文子　あら大将もなかなかのものだったわよ。これからああいう連中と関わる時は、お願いしようかしら。
速田　先生、よしてくださいよ。
文子　さて、これからだね。まずはあの娘《こ》をどこに匿うか。家《うち》に連れて行こうかと思ってたけど、私が絡んでるのが知れちゃったからだめだし。

タケシが裏口から顔を出しているのに、ヨシオが気付く。

ヨシオ　あ、タケシ。なにやってんの？
タケシ　……なんかバタバタしてたみたいだったんで。大丈夫？
速田　平気だよ。極粋会が来てたんだけど、もう帰った。

タケシ入ってくる。

タケシ　やっぱり用心しといてよかった。（後ろに）こっち。入ってください。

ハツヨの兄、江上栄治（えがみ・えいじ）18歳。次いでウメハラが入ってくる。

速田　あらあんた。
ウメハラ　江上の身内が世話になってるって聞いたもんですから。一緒させてもらいました。
エイジ　江上といいます。あの、妹は？
速田　2階にいますよ。ヨシオ君、案内してあげてくれる？　上がってすぐの部屋だから。
ヨシオ　はい。じゃ（2階に連れて行く）。
速田　（ウメハラに）いつぞやの騒動以来だね。あんときはあんたが追われてたっけ。
ウメハラ　その節はご面倒かけました。
速田　（視線に気づいて）ああ、そちらは佐野文子先生。たまたま店に来ていて……。
ウメハラ　お名前は存じています。（頭を下げる）黒色青年同盟の梅原と申します。今回は、ご迷惑をかけまして。
文子　佐野です。迷惑なんかかかっちゃいないわよ。ウメハラさん、ハツヨさんのお兄さんはいつから？
ウメハラ　……ああ、彼は江上栄治といいます。ハツヨさんの年子の兄です。うちが労働争議に関わっていた工場で働いてたんですが、話を聞いたら悲惨な境遇でして。で、ふた月ほど前に活動員に誘ったんです。
速田　その時に、ハツヨさんの事も？
ウメハラ　そうです。我々の方で店主を糾弾しようと考えていたんですが、その前に店を抜け出してしまったというわけなんです。
文子　（引っかかる）ちょっと。抜け出してしまったって言い方はないんじゃないの。
ウメハラ　いえいえ、ハツヨさんに何も罪はないのはわかっています。ただ時期的に。

文子　（これも引っかかる）時期的って何よ。なんか気に入らないね。

ウメハラ　……。

エイジが戻ってくる。

エイジ　……あの。

速田　ああ、ハツヨさん、どうでした？

エイジ　思ったより元気で、それは良かったです。……（ウメハラに）支部長、やっぱり極粋会に手配が回っているようなんです。家に連れて行ってもすぐに知れるだろうし。

ウメハラ　エイジ君、まずは落ち着くこと。奴らは奴らでメンツをかけて連れ戻しにかかるだろうが、大丈夫。うちはうちで、全力をあげてハツヨさんを守る。同盟の力は、君が考えている以上なんだ。だから奴らの好きにはさせせない。

速田　でも極粋会に目ぇ付けられてるという意味では、あんたたちは筆頭でしょ？　大丈夫なの？

ウメハラ　速田さん。お言葉を返すようですが、我々にはたくさんの支援者がいます。奴らには指一本触れさせません。エイジ君。うちの組織で、ハツヨさんを守る。いいね？

エイジ　……はい。それは、支部長にお任せしてますんで。

ウメハラ　うん、じゃ、夜になったら妹さんを連れ出そう。それまではそばに付いていてあげるんだ。僕はいったん事務所に戻って、算段を付けてくる。いいね。

エイジ　……はい、わかりました。

ウメハラ　速田さん。ということで、もうしばらく力をお貸しください。

速田　(何となく納得いかない) ああ、それはかまわないが……。

ウメハラ　では、また夜に (裏口から去る)。

(間)

エイジ　俺、ハツヨの様子見てきます (2階に)。

3人、エイジが2階に行くのを見届けて。

タケシ　……俺、ウメハラって嫌いだなー。こんなことになってるのに、なんかうれしそうじゃん。

速田　先生、いいんですかね、あいつらに任せて。

文子　……ま、実の兄さんがそうするって言ってるわけだし。私達にもこれと言ってあてがあるわけでもないし。……今回は任せましょう。

速田　……わかりました。……そういえば、北修さんはどうしたんだっけ？　2階に行ったっきりだよな。

ヨシオと女給1、3、慌てて二階の部屋から出てくる。

ヨシオ　あの、皆さん手貸してくれませんか。

速田　えっ、ハツヨさんがどうかした？
ヨシオ　いや北修さんなんですよ。
速田　北修さん？
女給1　さっきおんぶして二階に行ったとき、ぎっくり腰やっちゃったみたいで。
女給3　固まって動けないんです。
3人　えーっ。

暗転。

（第2幕　ACT6―1）

女給4現れる（エピグラフ朗唱）。

女給4　日を追って何かが煮えつまってゆくような重い予感がわたくしにも濃くなってゆきました。しかし、どんな形で、いつあらわれるのかは、全くわかりません。あたりはかえって以前よりもしずかな感じさえあるのです。

（齋藤史「おやじとわたし―二・二六事件余談」より）

朗唱が終わると、手にした垂れ幕を垂らす。

「数日後　四条師団通　カフェー・ヤマニ」

ヨシオ、タケシ、文子が新聞を広げて腕組みしている。カウンターには速田。女給1、3、4は支度などしている。

タケシ　先生、やっぱりこれ……。
ヨシオ　まずいっすよねえ。
文子　そうねえ。
速田　(寄ってきて)……どうしたんですか、みんなで難しい顔をして。
ヨシオ　ここ見てくださいよ。
速田　えーと……「違法な労働を強要されし十六歳の酌婦、語った赤裸々な実態」。え、これって……
タケシ　それに、ここ。
速田　「訴えを受けし黒色青年同盟旭川支部、近く同店舗を当局に告発」。なんだよ、これ。
ヨシオ　でしょ?
速田　(あきれて)これって、あの娘《こ》が、黒色青年同盟のところに匿われているって言ってるようなもんじゃない。
タケシ　で、まずいと思って先生にも来てもらったんです。

文子　私もね、もやもやしてたのよ。こんなことになるならハツヨちゃんを渡さなければよかったたって、つくづく思わされるわ。[注1]

速田　……あ、で、北修さんは？　北修さんもハツヨちゃんのことは承知なんだから、知らせた方がよくない？

ヨシオ　それがまだ腰痛くて動けないんですって。だから、あとは任せたって。

タケシ　使えない親父。ちょっとの間でも弟子になったのが恥ずかしいわ。

速田　まあまあ。で、これからどうします？

佐野　うーん、それなんだよねー……。

と、入口の鐘の音。

女給たち　いらっしゃいませー。

ヨシオ　……あれ、エイジさんじゃないですか。

エイジ、崩れ落ちるようにして、中に入ってくる。青ざめた顔。殴られた跡。

ヨシオ　……どうしたんすか？　タケシ、手を貸して。

2人、抱きかかえるようにしてエイジを店内へ。

タケシ　殴られてるみたい。誰か、外にいるのかも。
女給1　ちょっと様子見てきます！（と、外に駆け出る）
速田　え、大丈夫？　気を付けてよ！
ヨシオ　……エイジさん。話せます？
エイジ　……俺は大丈夫。でもハツヨが連れてかれて。
タケシ　え？　ハツヨちゃんが？
エイジ　同盟の人が一人付いていてくれたんだけど、何にもできずに殴られて……。（頭を抱える）俺のせいだ。やっぱり早くどっか遠くに行かせていれば。
文子　ちょっと、あんた。頭抱えてる場合じゃないよ。ちゃんと話してごらん。
エイジ　……すいません。ハツヨと俺は、同盟の支援者の人がやってる下宿にいたんです。突然何人も入ってきて……。
文子　でもなんでそこにいたのがバレちゃったの？
エイジ　同盟の人が言ってました。情報がもれたらしいって。
タケシ　何よそれ、しょーもない。
ヨシオ　（新聞を示して）この新聞のことも、エイジさんご存じなんですか？
エイジ　……支部長には言ったんです。そんな記事が出たら、ハツヨが危なくなるって。でもハツヨのことを世の中に伝えて、それで不正を正すんだって。……俺はそれも大事だけどって言ったんだけど……。

鐘の音。女給2が息を切らせて戻ってくる。

女給1　……近所の人から聞いたんだけどさ、今さっき黒色青年同盟の連中が、極粋会のメンバーの店、襲撃したんだって。
女給4　それって、ハツヨさん連れていかれたことへの仕返しかな？
女給1　え？　ハツヨちゃん、連れてかれたの？
エイジ　仕返しだと思います。このままじゃ引き下がれないって言ってましたから。
女給1　でさ、極粋会も人を集めてるんだって。
女給3　今日は招魂祭《しょうこんさい》のお祭りなのにぃ。

と、鐘の音。

女給3　いらっしゃいま……。

ウメハラが入ってくる。目がすわっている。

ウメハラ　（入口で）祭りの夜に騒ぎを起こすのは、不本意なんだが、身にふる火の粉ははらわないといけないのでね。（中に入ってくる）……エイジ君、すぐ事務所に戻れと伝えたはずだが。勝手な行動は困るんだ。
エイジ　……。
文子　あんたさ、エイジ君に文句言う前に、言わなきゃならないことがあるんじゃないの？

ウメハラ　……それはハツヨさんのことですよね。どうもスパイがいたようなんです。だが、大丈夫です。こちらも彼女の居所はつかみました。ハツヨさんは、奴らの本部事務所に監禁されています。

女給4　え、監禁！

ウメハラ　（無視して）それに極粋会は我々の事務所のある常盤橋《ときわばし》の近くに集結していて、今夜にも襲撃してくるつもりのようです。我々は奴らを返り討ちにして、そのあとハツヨさんを救出します。

タケシ　あんたそんな簡単な。

ウメハラ　我々は、幾多の修羅場をくぐっていますからね。ご安心を。ということで、エイジ君、君も準備を。

エイジ　……ん？　けがでもしましたか？

ウメハラ　……いや、けがはたいしたことないが、俺は行かない。

エイジ　……どういうことです？

ウメハラ　……俺は、もうあんたにはついていかない。あんたは俺らのことを分かってくれる人だと思ってたけど、間違ってた。

ウメハラ　なぜ？　不正を正したいと、君も言ってたじゃないか。今夜は、あの犬どもを蹴散らして、我々の正しさをアッピールする絶好の機会なんだ。それが分からないのか？

エイジ　帰ってくれ。俺はもうそれがどれほど正しかろうと、あんたの言葉では動かない。

ウメハラ　……社会正義の意義を認めん愚か者とは、一緒に行動はできんな。君とは決別する。（去る。鐘の音）。

（間）

タケシ　（思い詰めるエイジの肩に手をやって）……俺も優柔不断なんだけどさ、あいつと離れるのは、間違ってないと思うよ。

エイジ　……でも、奴を信じたせいで（こらえきれない）。

文子　エイジ君。めそめそしている時じゃないよ。いまはとにかくハツヨちゃんを救うこと。みんなも、それはわかるわよね。

速田　というと、先生、なんか策がありそうですね。

文子　まだ策と言えるものではないんだけど。……極粋会と黒色青年同盟が、いま常盤橋のところで睨み合っているのよね。夜、本格的にぶつかれば、極粋会の事務所は手薄になるはず。その隙をつけばってとこね。

タケシ　ちなみに常盤橋というのは、今のロータリーのところにあった橋で、今より中心部よりを流れていた当時の牛朱別川《うしゅべつがわ》に架かっていました。

速田　解説はいいからね。（気を取り直して）なるほど。で、どう動きます？

文子　具体的にハツヨちゃんを救い出すのは若い3人として、どう時間を確保するかってとこなのよ。

全員　うーん……。

（間）

女給1　……そうだ！　大将に協力してもらいましょうよ。

速田　え？　私？

女給1　いえ、力を貸してもらうのは、もう一人の大将よ！

暗転。

[注]

1　佐野文子は道産子ではないが、言葉も北海道に染まっているという想定で、こうした言葉遣いをさせた。

(第2幕　ACT6―2)

しばらくすると、招魂祭の祭りの夜の喧噪の音が聞こえてくる。

女給5現れる（エピグラフ朗唱）。

女給5　俺は疲れて帽子を釘に掛ける。
汗臭い襯衣《しゃつ》を脱いで顔を洗ふ。
瓦斯に火をつけて珈琲を沸かす。
俺は独りだ晩飯の支度をする。
馬鈴薯と玉葱をヂャック・ナイフで切り刻む。

俺はこのナイフで靴の泥を落した。
俺はこのナイフで波止場の綱《ろっぷ》を断《き》った。

（鈴木政輝「あぱあと」）

朗唱が終わると、手にした垂れ幕を垂らす。

「その夜　三条通七丁目　旭川極粋会事務所」

事務所の外に、ヨシオ、タケシ、エイジの3人と神田館の大将こと佐藤市太郎。佐藤は大きな紙を丸めたものを抱えている。事務所には、極粋会の男3が一人いる。奥にもう一室あり、そこに椅子に座ったまま縛られているハツヨ。

佐藤　大丈夫かな。私は興行主なんで、ここには何度も来ているが。

タケシ　佐野先生の指示通りやれば、大丈夫ですよ。

ヨシオ　もう一度確認しましょう。事務所には一人見張りがいて、その奥の部屋にハツヨちゃんがいるそうです。で、その見張りを、神田館の大将がうまいこと言って外に誘い出す。その隙に僕らがハツヨちゃんを助け出す。

佐藤　責任が重いなあ。

ヨシオ　大将が頼みの綱なんです。

佐藤　わかったよ。こう見えても不肖佐藤市太郎。若い時は、やくざものと渡り合ったこともあったんだ。頑張るよ。

3人、廊下の隅に身を隠す。

佐藤　（一人、事務所の前に進みノック）ごめんなさい。邪魔するよ。佐藤でした。カタオカさんはいたかい？
極粋会3　（ドアを開けて）あ、神田館の社長じゃないですか。お久しぶりです。
佐藤　ああ君、なんてったっけ？
極粋会3　ツルオカです。すみません、カタオカはあいにく。
佐藤　あ、そう。いないんだ。
極粋会3　はい。ちょっと事情があって出払っているんです。
佐藤　そうなんだ。
極粋会3　あの、佐藤社長には、いつも神田館、顔で入れてもらって助かってます。
佐藤　そうだっけ？
極粋会3　俺、活動写真が大好きなんすよ。
佐藤　ああそう。……実はね、今度新しい活動館を建てる計画があるんだけど、そこの支配人に誰か出してもらえないか、頼みに来たんだ。
極粋会3　え、そうなんすか？

佐藤　おととし、第一神田館が焼けちまったろう。そのあと、旭川は一館だけでやってたんだが、資金の手当てが付いてね。……君、興味ありそうだね。

極粋会3　ええ、もちろんです。あります。あります。

佐藤　で、これ図面なんだけど。意見も聞きたくてさ。（極粋会3興味津々）……どっか、外で話さない？

極粋会3　え？

佐藤　いや、酒でも飲みながらさ。

極粋会3　（困って）いやー、ここじゃだめですか。

佐藤　ここ？

極粋会3　ええ。

佐藤　ここがいいの？

極粋会3　すみません。きょうはここでお願いします。

佐藤　そっか、じゃあ（図面を広げかけて）。その前に、おしっこ。

極粋会3　おしっこすか？

佐藤　うん、年取ると近くなってね。どこかな？

極粋会3　ああ、入り口出て、左行って、右曲がって、突き当りです。

佐藤　私、目も悪くしてね。廊下暗いしさ。案内してくんない？

極粋会3　え、俺ですか？　困ったな。

佐藤　私、そういう親切な人に支配人になってほしいなー、なんて思ったりして。

極粋会3　（即座に）あ、いきます、いきます。喜んで。

佐藤　うん、じゃ手引いてもらって。
極粋会3　え、社長、そんなに目悪かったですか？　よくここまで来られましたね。

2人出て、便所に行く。その隙に3人、事務所に入り、奥の部屋へ。驚くハツヨに声を上げるなと指示。タケシが外の様子を伺い、ヨシオとエイジが縄を解こうとするが、堅くてなかなか解けない。

タケシ　……何やってるのよ。もうじき戻って来ちゃうよ。
ヨシオ　ごめん。堅くってさ。はさみ持ってくりゃよかった。
エイジ　ハツヨ、もう少しだからな。
ヨシオ　よし、解けた。

2人、外に出ようとするが、極粋会の男3と佐藤が戻ってきてしまう。

佐藤　（大きな声で）あー、おしっこして、すっきりしたー。もう事務所に戻ってきちゃったー。
極粋会3　なんすか？　急に声でかくなりましたよ。
佐藤　そう？　最近耳も遠くなってきたせいかな。普通だと思うけど。
極粋会3　いやいや、かなりはってるじゃないですか。
佐藤　ところで、やっぱりどっか外で話さない？
極粋会3　そうしたいところですが、ここ空にするわけにいかないんすよ。

佐藤　そうなんだ。

極粋会3　すみません。お願いします。

佐藤　じゃあ、やるかい？　……（図面を広げかけて）あー。今度は、なんか、下の方がもよおしてきちゃった。

極粋会3　えー、一緒にしちゃえば良かったじゃないすか。さっき。

佐藤　いや僕もそう思うよ。そうすりゃ、時間がかかって、一回で済んだのに。でも、あ、お腹も痛くなってきちゃった。悪い、もう一回。

極粋会3　しょうがないなー。これが最後ですよ。

佐藤　ああ最後、最後、最後だから。（声をはって）じゃあ、お便所、行ってくるぞー。今度は大きい方。

極粋会3　ですから。声はり過ぎですって。

2人、再び出ていく。タケシら事務所に誰もいないことを確認し、部屋から出てくる。さらに事務所から出ていこうとすると、ドアの外にカタオカがいて、立ちふさがれてしまう。カタオカ、左手に木刀。右腕はけがしているようだ。

カタオカ　これはこれは、皆さんおそろいで。……そうですか。我々が連中とやりあっている間にってことですか。ま、ひとまず中に入っていただきましょうかね。……絵を描いたのは、佐野先生あたりでしょうな。

佐藤と極粋会の男3が戻ってくる。

佐藤　あー、すっきりしたーって、さすがにもういないよね。（中に入る）……と思ったらいっぱいいるね。

極粋会3　え、カタオカさんまで。どうなってんですか？

カタオカ　どうなってるってお前、常盤橋で黒色と乱闘になったんだよ。そしたら警官が割って来て、どちらもほとんどしょっぴかれちまった。お前、社長に騙されかけてたのが、わかんないのか？

極粋会3　えっ、社長、おれ騙してたんすか？

佐藤、ごめんごめんと手を合わせ、ぺこぺこ頭を下げる。

極粋会3　面目ありません。

カタオカ　だから気を抜くなと言っといたろうが。

佐藤　……あのー、カタオカ君。あんたの部下を騙そうとしたのは悪かった。が、ここは私の顔を立てて、娘さんを開放してやってくれないだろうか。仲間が逮捕されたって言うし、そんな状態なら、もうこっちの話はいいだろう。

カタオカ　社長には、いろいろ世話になってるんで、逆らうのは恐縮ですが、これはメンツの問題なんですよ。そんな小娘、どうでもいいっちゃいいんだが、こんだけ舐められたうえに、素人に出し抜かれたとあっちゃ、俺らは今までのように旭川で仕事ができなくなる。

佐藤　カタオカ君、そうは言っても……。
カタオカ　私は覚悟はできてるんだ。悪いが、娘置いて、帰ってもらうしかないですね。
タケシ　ふざけんな。あんたけがしてるじゃないか。あくまでって言うなら、力づくでも。

カタオカ、木刀を捨て、ふところからピストルを出す。

カタオカ　……坊主。そういう口をきくときは相手を確かめてからにするんだな。俺は覚悟を決めてるって言ったろう。
ヨシオ　……タケシ。下がれよ。

タケシ、青ざめた表情で後ずさる。

カタオカ　……そう、みんな、いい子だ。（皆を見渡し、エイジと目が合う）。おや一人反抗的な子がいるね。
エイジ　……あんたさ、いい加減、強がるのは止めなよ。
カタオカ　ん？　よく聞こえなかったな。もう一度言ってくれよ。
エイジ　（立ち上がって前に出ようとする）……強がるのは止めなって言ったんだよ。
ハツヨ　（止めようとして）兄さん。
エイジ　（振りほどいて）あんたのことはヤマニの大将から聞いたよ。あんたは俺とおんなじだ。だから分かるんだよ。

カタオカ　何を言いたいんだか、さっぱりだがね。
エイジ　分かるんだよ俺には。あんたはこうすることが正しいと上から言われて、それを信じることが勤めだと思っている。……でも本当にそれはあんたがやりたいことなのか？　（少しずつカタオカに近づく）そんなことをしても心は満たされないと、気が付いているはずだ。
カタオカ　……うるさいな。黙れよ。
エイジ　俺もね。おんなじだったから分かるんだよ。俺たちは空っぽだったんだ。だから最初は良かったんだ。何にも考えずに。ただ言われたことを黙々と実行する。
カタオカ　黙れよ。止めろ！
エイジ　信じたことが間違いだったら何もなくなっちゃう。それが怖いんだよ。あんたも！　俺も！
カタオカ　黙れって言ってんだろ！

発砲音。エイジ崩れ落ちる。

ハツヨ　兄さん！　（駆け寄って）どうして。兄さん、兄さん。（呼びかけるが、エイジはぐったりとして、答えない）。

と、外で男の声が響く。

男の声　え、警察、何の用だよ？　え？　発砲音？　パンクかなんかじゃないの。え？　カタオカ部長？

カタオカ　ここになんかいませんて。
極粋会3　（男3に）誰だ？
男の声　誰か、若いもんが戻ってきたんじゃ。
極粋会3　え？　令状？　なんのことか分かんないよ。だから、いないもんはいないって言ってるでしょうが。
カタオカ　カタオカさん、まずいっすよ。誰だか知らないが、時間稼ぎをしている間に逃げましょう。非常口の階段使えば、逃げられます。
極粋会3　……わかった。（ピストルでエイジを指し）こいつはおれを見下した。自業自得だからな。
カタオカ　カタオカさん。
　わかってる（去る）。

（間）

タケシ　（我に返って）え、ど、どうする？
ヨシオ　どうするって、外に警察がいるんなら知らせなきゃ。それと医者。
タケシ　そうだよな。じゃ外へ。
　出ようとすると。
男の声　だから、いないっていってるじゃないですか。いないんですよ、カタオカ部長は。

男、姿を現す。なんとトージである。

トージ　カタオカさん？　……いないですよね？　（ドアを開ける）カタオカさん？　いやしませんよね？

ヨシオ　え、お前？　トージ？

トージ　様子を見にきたんだけど、けん銃の音が聞こえたんで。

タケシ　じゃ、警察は。

トージ　そんなの乱闘事件で出払ってるよ。いま仲間が医者を呼びに行ってる。

ヨシオ　そうか。大将、エイジさん、どうですか？

佐藤　うーん、急所は外れているようだけど。

ハツヨ　兄さん、聞いた？　お医者さん、呼んでくれてるって。それまで頑張って。兄さん。

暗転。

（第2幕　ACT6—3）

しばらくすると、セミの声が聞こえ始める。続いて金魚売りの声、やがて天秤棒を担いだ金魚売りが現れる。

活弁士、演歌師に似ていなくもない。

金魚売り　きんぎょーえ、きんぎょー。きんぎょーえ、きんぎょー。えー、金魚はいかが、金魚でございい。(一休みして）ふう、きょうも暑いねえ。旭川は冬は寒くて、夏は暑いってんだから、困ったもんよ。でもまあ暑いから、こんな商売も成り立つってもんさ。

おかっぱの女の子と、その祖母の2人連れが現れる。

女の子　あ、おばあちゃん、金魚屋さん、いたよ。
祖母　いたね。行っちゃわなくて、良かったね。（女の子に容器と小銭を渡して）ほら、これに入れてもらうんだよ。
女の子　うん。
祖母　行っといで。二匹もらうんだよ。一匹じゃかわいそうだからね。
女の子　（金魚売りに近づいて）金魚ちょうだい。
金魚売り　おや、いらっしゃい。
女の子　あのね。おばあちゃんが、二匹もらいなさいって（お金と容器を出す)。一匹じゃかわいそうだからね。
金魚売り　そうかい。一匹じゃかわいそうかい。じゃあ、おあしをいただくよ。（容器に金魚をすくってやる)。……はい。どうぞ。
女の子　（受け取って眺め、満足そう）ありがとう。（金魚を眺めながら祖母の元へ）買ってきたよ。
祖母　そうかい、よかったね。じゃ帰ろうか。

女の子　うん、帰ろ。（歩きながら）きょうは、いい買い物をしたね。

２人、退場する。

金魚売り　（見送って）かわいいさかりだねえ。……さ、じゃ行くか。（天秤棒を担いで）きんぎょーえ、きんぎょー。えー、金魚はいかが、金魚でござい（退場する）。

（第2幕　ACT6―4）

女給３現れる（エピグラフ朗唱）。

女給3　平原のまん中に洋燈《らんぷ》のやうに輝いている街
光を増し、光を増し、
延びに延び、ひろごり、
高くその燈火《あかり》をかかげて、
陽の御座《みくら》を占める街、
光栄の町、
この町に祝福あれ！

（百田《ももた》宗治《そうじ》「旭川」）

朗唱が終わると、手にした垂れ幕を垂らす。

「昭和二年九月　四条師団通　カフェー・ヤマニ」

女給たちを中心に、お祝いの準備が進んでいる。ヨシオ、タケシ、ハツヨ、速田、文子、トージも手伝っている。少し離れたところで、北修と佐藤が碁を打っている。

タケシ　（北修らに近づく）北修さん、碁なんてやってないで、こっち来てくださいよ。もう始まるんだから。

北修　おれ、今回何もやってないしよ。部外者だべ。

ヨシオ　何言ってんですか。きょうはハツヨちゃんとエイジさんの就職を祝う会なんですから。北修さんがこっちにこないと、神田館の大将だって。

北修　……そうか？　行きます？

佐藤　行こうよ。あっちの方が絶対いい。

北修　んー、じゃ行くか。

2人、席へ。拍手で迎える女給たち。

女給5　キャー、神田館の大将と北修さんだー。
女給3　キャー、スケベー。
北修　（うれしそう）スケベはよけいだって。
速田　……じゃ、これでそろったね。おほん、みなさんお集まりいただき、ありがとうございます。きょうは、江上栄治くんとハツヨさんの就職がめでたく決まったことを祝しての集いであります。
タケシ　もう結構前から働き始めてるけどね。
速田　いや見習い期間が終わって、正式に採用されたってことなのさ。それでは、佐野先生、乾杯のご発声を。
佐野　えー、私？
ヨシオ　だって就職世話したの、先生でしょ？
文子　そうだけど。
速田　みんな、のど渇いてるんで、ちゃっちゃとお願いします。
文子　わかりました。……エイジくん、ハツヨちゃんおめでとう。いろいろあったけどって言いたいところだけど、きっとこれからも2人の前にはたくさんの壁が立ちふさがると思う。だからちょっとずつでもいいから強くなって。で、その分、ほかのみんなが困った時は、助けてあげて。それだけ。じゃ、みんないい？　2人の前途を祈って、かんぱーい。
全員　かんぱーい。（拍手）。
女給4　ああ、あたしおなかペコペコー。
女給2　わたしもー（など賑やか）。

速田　……でも早いですね。あの騒動からもう3か月。
北修　そういや、極粋会と黒色の手打ちはここでやったんだって？
速田　ですね。極粋会の辻川会長が来て、黒色の方は札幌から幹部が。
北修　札幌？　なんで？
速田　ウメハラがあれ以来いなくなっちまったからですよ。東京に戻ったようです。
佐藤　カタオカは、懲役3年だそうだね。その程度だったんだ。
速田　はい。会長に付き添われて自首しましたし、エイジ君も怨みはないと証言しましたし。
北修　……それはそうとよ。俺はまだ事情を呑み込めてないんだが、あの晩トージはなんで事務所に行ったんだ？　関わりたくないって言ってたろ。
文子　それはね。私が頼んだのよ。トージはね、前から私の所に来ていたの。小学校出てからずっと働いてるんで、勉強したいって。ただこの子もいろんなことに手を出す割には、腰が据わらなくてね。なんか人生相談みたいになってたの。だからまずは困ってる人のために動きなさいって。そしたら手助けしてくれたのよ。ね。
トージ　……いや、まあ、そういうことかな。
北修　なんだ、やるときゃ、やるんだな、お前もよ。
トージ　(照れ笑い)
北修　でも腰はすわってないとよ。(タケシとヨシオに) お前らとおんなじだ。
タケシ　えー、なにそれ。待ってくださいよ。
トージ　(下を見てクックと笑う)

ヨシオ　あ、そういう態度が癇に障るんだよ。お前、俺らよりいっこ下なんだからさ。
北修　まあ悩み多き若者たちよ。しょっちゅう喧嘩をしている小熊と俺も、友達ちゃあ、友達だしな。
ヨシオ　そういや小熊さん、東京どうなんですかね？
速田　うーん、旭川を発ったのが、騒動の直後だからなあ。［注1］北修さんには便りはないの？
北修　来ないことはないが……。ここにいない奴の事、話したって仕方ねえべ。主賓の話しようぜ。
佐藤　わたしも聞きたいな。どこで働いているかとかさ。
速田　そろそろと思ってました。じゃ、エイジ君、ハツヨちゃん（促す）。
エイジ　え？　俺らですか？
北修　そうさ。さ、立った、立った。

2人、とまどいながら立ち上がる。どちらから話すか迷う。

ハツヨ　……あ、じゃ、私から。（お辞儀）皆さん、その節は本当にお世話になりました。……お話があったように、私は佐野先生の紹介で、洋服を扱う商社に勤めています。そこで頑張って、いつか皆さんに恩返しができるようになりたいと思います。じゃ、兄さん。
エイジ　……ああ（緊張している）。あの、俺も、先生の紹介で、今、造り酒屋で働いてます。……それと、久しぶりに妹と暮らせて、お袋が喜んでるんです。俺も恩返しできるように頑張って、いつかは杜氏になりたいと思ってます。なので、これからもよろしくお願いします。

2人お辞儀すると、皆拍手。

北修　よし！　2人とも良く言った！　……あれ、大将、泣いちゃってるよ。

佐藤　……だってさ。……年取ると、涙もろくなっちゃうんだよ。

女給たちなど、もらい泣きするものも。

北修　だから、しめっぽいのは止めようぜ。そうだ。お前ら、得意な奴あんだろ。あれ、ヤマニのテーマ。やってくれよ。

文子　私知らない。やってよ。

女給2　そうですか？（仲間に）やる？

女給1　いいじゃない。やろうよ。

女給2　よし。じゃ、やろう。

皆、位置に着く。

速田　それでは、ミュージック、スタート！

マイムを入れながら、女給たちを中心に皆で歌い踊る（「ヤマニのテーマ・そこ行く兄さん編」）。

そこ行く兄さん　いなせな兄さん
素通りは許さないよ
きれいな姉ちゃん　待っているよ
お楽しみはこれからだ
＊歌はトチチリチン　トチチリチン　ツン
歌はトチチリチン　トチチリチン　ツン
歌はペロペロペン　歌はペロペロペン
さァ　ようこそヤマニへ

2枚目兄さん　こちらへどうぞ
ビールにカクテル　ウヰスキー
素敵なステージ　楽しい会話
コーヒーいっぱいでもかまわない
＊くりかえし

途中で暗転、歌だけしばらく続く。

（原曲「ベアトリ姉ちゃん」小林愛雄・清水金太郎訳・補作詞　スッペ作曲）

［注］

1　実際の小熊の上京は、このシーンの1年後。

（第2幕　ACT7）

女給1

女給3現れる（エピグラフ朗唱）。

「銀の滴《しずく》降る降るまはりに、金の滴
降る降るまはりに、」と云ふ歌を私は歌ひながら
流に沿って下り、人間の村の上を
通りながら下を眺めると
昔の貧乏人が今お金持になってゐて、昔のお金持が
今の貧乏人になってゐる様です。

（知里幸恵　「アイヌ神謡集」より）

朗唱が終わると、手にした垂れ幕を垂らす。

「昭和三年三月　嵐山」

トージを先頭に、ヨシオ、エイジ、ハツヨ、タケシが山道を登っている。

トージ　タケシさ、もう少し根性出しなよ。

タケシ　……おい、なんだよその言い方は（息が切れている）。お前、俺らよりいっこ下だって言ってんだろ。はー、疲れた。

ハツヨ　タケシさん。しゃべりながら登ると息が切れるわよ。

ヨシオ　でもトージはやっぱり山に入るといきいきするな。

エイジ　まだ雪が残ってるってのに、ほっといたら、駆け上っていきそうな感じだもんな。……でも、やっぱり山は気持ちがいい。

ハツヨ　本当。来てよかった。

ヨシオ　ほら。あと少しだ。

5人、到着する。

ハツヨ　……すごーい。石狩川が下を流れて。旭川の街が全部見える。

エイジ　大雪山が輝いているみたいだ。……そうか、こんなふうに見えるんだ。

それぞれかみしめるように眺望する。

ハツヨ　……ヨシオさんは、しばらくの見納めね。

ヨシオ　（うなづく）

ハツヨ　どうして師範学校やめて東京に行くことにしたの？

ヨシオ　……うまく言えないけど、そうするべきだって思ったんだ。向こうの大学に行ってとりあえずは詩や小説を書く。旭川は、ふるさとだけど、一度離れることが必要だって。で、タケシに言ったら賛成してくれた。

タケシ　うん、自分がそう思うんなら、いんじゃないって。けど俺は行かないよって。前だったら、東京かっこいいな、俺もって言い出したと思うんだけど。……ほら、俺、いっぱい挫折してるからさ。くじけそうな奴、励ましてやれるんじゃないかって。だから、このまま旭川で教師になろうって。

ヨシオ　……ということなんだわ。だからみんな、タケシをよろしくね。誰かがネジ撒かないと、こいつ怠けるし。

タケシ　おい。

ハツヨ　わかってます。頼まれないでも、怠けたらお灸すえるから。ね。

エイジ　ハツヨは、もともとものすごいおせっかいやきなんだ。きっと、ちょくちょく様子を見に行くと思うよ。

タケシ　えー、勘弁してよ。

ヨシオ　で、トージはどうするの？　佐野先生が、最近、見ないって言ってたけど。

トージ　ああ、今、木彫りの仕事が多くってさ。コタンにこもりっきりなんだ。

エイジ　ということは、売れてるってことかい？

トージ　うん、まずまず評判がいいんで、仲間にもやり方教えたんだ。そしたら作りたいって奴が増えて。

ハツヨ　で、木彫りでみんなが飯食えるようになればいいなって。

タケシ　そっか。私と兄さんは仕事があるし。じゃ、みんな進む道は決まってきたってわけね。見ろよ。どんどん晴れてきた。川がキラキラ光ってる。

再びみな景色を眺める。

ヨシオ　……美術展の手伝いがきっかけで、北修さんや小熊さん、トージと知り合って。ヤマニに行くようになって。

タケシ　史さんや佐野先生とも出会って。アナキストと右翼の騒動に巻き込まれて。ハツヨちゃんとエイジさんにも会って……。

ヨシオ　本当にいろんなことがあって、その全部が混ざり合って……。自分はまだ何者なのかは分からないけど。そういうことがあったから、自分は新しいところに飛び込んでゆく勇気を持てたのかのかもしれないなって……。

北修とスタルヒン（11歳）が現れる。

北修　おお、いたいた、やっと追いついた。

タケシ　え、北修さん？　どうしたんすか。

北修　お前らが嵐山に行ったっていうから、追っかけたんだよ。そしたら雪は残っているし。あーしんど。

ヨシオ　彼は？

北修　あれ、知らないか？　8条通で喫茶店【注1】やってるスタルヒンの一人息子さ。俺、この子に絵教えてやってるのよ。

スタルヒン　ヴィクトルです。11歳です。日章《にっしょう》小学校に通ってます。

エイジ　え、小学生！　そんなに大きいのに？

スタルヒン　はい。みんなに言われます。

タケシ　すげえな。絵習ってるって言ってたけど、運動は？

スタルヒン　はい、野球の投手やってます。

タケシ　その体なら、すごい球を投げるんだろうな。もしかしたら将来、大投手になるかも。プロ野球初の300勝投手とか。

ヨシオ　おい、また未来話かい。

と、少女が走ってくる。堀田綾子（ほった・あやこ、5歳）。ACT5で金魚を買いに来た少女のようだ。

綾子　（北修に）おじちゃん。あっちに福寿草があったよ。

北修　おう、そうか。（みんなに）この子はな、綾子っていうんだ。嵐山に行くって言ったら、親から連れてってやってくれって言われてさ。

ハツヨ　お嬢ちゃん、綾子ちゃんて言うの？

綾子　うん、綾子。堀田綾子。
ハツヨ　いくつ？
綾子　5歳。
エイジ　何をするのが好きなの？
綾子　ご本を読むことです。
タケシ　そうか。まだ小さいのにご本か。偉いね。
エイジ　俺、この子も大物になりそうな気がするね。本が好きだっていうから、作家かな。旭川を舞台にした小説がベストセラーになったりして。そう、タイトルは「氷点」！　とか。
ヨシオ　だからひとの将来より、自分の足元ちゃんと見ろって。
トージ　（くっくと笑う）
タケシ　あ、トージはまた人を馬鹿にして。
北修　……そうだ、忘れるところだった。これ、小熊から（封書を渡す）。
ヨシオ　何ですか？
北修　ヨシオが東京に行くって話聞いたみたいで、送って来たのさ。はなむけの詩だってよ。

ヨシオ、手紙を取り出して読み始める。

【注】

1　スタルヒン一家が8条通8丁目で経営していた「白《しろ》ロシア」について、新旭川市史は「1929（昭和4）

年頃の開業であろう」としており、実際にはこの時期には存在していない可能性が高い。

（第2幕　ACT8　エピローグ）

音楽、続いて小熊や他の登場人物たちの声が聴こえてくる。

小熊ほか　新しいものよ、
あらゆる新しいものよ、
正義のために生れた
さまざまな形式を
わたしは無条件に愛す、
然も、君が青年としての
情熱をもつて
ふりまはす感情の武器であれば
それが如何なるもので
あらうとも私はそれを愛し、信頼す。
私はおどろかない、
君の顔に

よし狡獪《こうかい》な表情が現れようとも
私は悲しまない、
君の行動に
臆病さがあらうとも
若し、それが君を守るものであるならば、
ましてや君の若い厳粛さと
青年の勇気は
なんと新しい時代の
蠱惑的《こわくてき》な美しさをもつて
相手に肉迫してゐることだらう
青年よ、
我々は環視の只中にある、
あらゆるものに見守られてゐる。
熱心に祈りの叫びをあげながら
現実のつらさに
眼を掩《おお》つてゐる君の老いたる父や母にも――、
吐息を立てゝゐる兄や妹にも――、
これらの身近なものは君を守る
だがとほくのものは

ただおど〱としてゐる許りだ。

ふるへよ、
君の肉体を、
護れ、
君の感情を
そして君は入つてゆけ
もつとも旋律的な場所へ、
老いたるものにとつては
苦痛の世界であるが、
我々青年にとつては
感動の世界で、ある処へ。

（小熊秀雄　「青年の美しさ」より）

音楽、スタンド・バイ・ミー（ベン・E・キング）に変わる。次第に暗転し、スクリーンに主な登場人物のその後が投影される。【注1】

・小熊秀雄

上京後、虐げられた人々への共感を表す長編詩などを発表し、詩壇に新風を送る。昭和10年、２冊の詩集を相次いで出版するも生活は困窮を極める。昭和15年、肺結核により死去。39歳だった。

・**高橋北修**

昭和6年、旭川の画家として初めて帝展に入選、地元画壇の重鎮となる。大雪山を描いた油絵に定評があり、「大雪山の北修」と呼ばれた。昭和53年、79歳で死去。

・**速田　弘**

昭和8年、新店舗「パリジャンクラブ」を開店したが、戦時色が強まる中で経営は悪化。借金の返済に行き詰って自殺を企てる。その後、旭川から姿を消すも、戦後、東京銀座でクラブチェーンを成功させる。

・**佐野文子**

戦前は、国防婦人会での精力的な活動が全国に知られた事から、軍の要請を受けて上京、東条首相の私邸で家庭教師を務める。戦後も戦災孤児の救済などさまざまな社会活動を行った。昭和53年、84歳で他界。

・**松井東二**

旭川のアイヌの間で盛んになった熊の木彫りは、その後の民族自立運動の資金源ともなった。戦後は、後進の指導に当たる一方、アートとしての作品制作にも幅を広げた。昭和55年死去。70歳だった。

・**江上栄治**

造り酒屋で修業を積み、杜氏となる。将来を嘱望されたが、昭和13年、陸軍への召集を受ける。翌年、勃発したノモンハン事件で現地に出動。ソビエト軍との交戦中、砲撃を受け死亡。29歳の若さだった。

・**江上ハツヨ**

繊維商社で働いた後、独立し、洋品店を始める。戦時中は厳しい経営を強いられるが、戦後、生活雑貨を扱う会社を立ち上げて成功。旭川を代表する女性経営者となる。平成6年、84歳で他界。

・**塚本　武**

師範学校卒業後、教師となり旭川市内の小学校に勤める。25歳の時に同僚教師と結婚するが、すぐに結核を発症。一時は職場復帰を果たすも、再び病状が悪化。昭和15年死去。31歳だった。

・**渡部義雄**

大学卒業後、東京の新聞社に勤め、戦時中は従軍記者も経験する。戦後は旭川に戻って市役所に勤めながら創作活動を続ける。昭和39年、旭川市博物館長に就任。平成13年、91歳で死去。

スクリーンに「ＦＩＮ」の文字が映し出され、やがてそれも見えなくなる。

（幕）

【注】

１　もちろん実在の登場人物のその後は史実であり、架空の登場人物のその後はフィクションである。

第3部

歴史解説

実在の登場人物

小熊秀雄　おぐま・ひでお　1901―1940

「旭川の文化活動を牽引した民衆詩人」

常に虐げられる側に立った視点で数多くの作品を残した民衆詩人。大正末から昭和初期にかけての旭川時代は、新聞記者として活躍するかたわら、詩、短歌、童話、絵画、演劇など多彩な分野で地元の文化活動をリードした。

流浪の果てに旭川へ

小熊は、１９０１（明治34）年、小樽市生まれ。３歳で母親と死別し、その後、東北、北海道、樺太を渡り歩く。このうち樺太では、尋常高等小学校を卒業後、漁師の下働き、農夫、職工、伐採人夫などの職を転々とした。この過酷な経験は、常に虐げられた民衆の側に立ったのちの創作姿勢を養った。

旭川の文化活動の中心に

小熊が旭川に来たのは１９２１（大正10）年、20歳の時だった。翌年から三味線の師匠をしていた姉のつてにより、旭川新聞社で働き始める。新聞社では、社会部記者となり、文才を見込まれて文芸欄も任された。

詩人仲間との会合の記念写真
（昭和３年・前列左端に小熊）

小熊秀雄（1901－1940）

小熊愁吉《しゅうきち》等の名前で紙上に詩を発表するかたわら、詩誌の創刊や童話の読み聞かせ、文化人有志による演劇の上演、画家グループとの美術展の開催など、さまざまな分野で地元の芸術・文化活動を主導した。

東京への思い捨てがたく

旭川で充実した生活を送っていたように見えた小熊だが、中央詩壇で活躍するという夢は捨てがたく、大正13～14年にかけ、上京しては生活のめどが立たず旭川に舞い戻るという行動を繰り返す。

1928（昭和3）年、小熊は3年前に結婚した妻のつね子と、長男焔《ほのお》を連れて3度目の上京を企て、ついに豊島区池袋周辺に落ち着く。この辺りは、多くの画家がアトリエ村に暮らすなど芸術家が集ったことから、パリに倣い、小熊によって池袋モンパルナスと名付けられた。

2つの詩集と死

その後プロレタリア文学運動に接近した小熊は、弾圧を受けながらも旺盛な意欲で創作を続け、1935（昭和10）年、第1詩集「小熊秀雄詩集」、長編叙事詩集「飛ぶ橇《そり》」を相次いで出版、詩人としての地位を確立する。しかし戦時色が強くなり、作品の発表の場が狭まるなかで生活は困窮を極める。5年後、肺結核により39歳の若さで没した。

旭川新聞の上司・同僚と

池袋モンパルナスの友人たちと（昭和10年頃）

旭川では、1967（昭和42）年に、小熊の功績をしのび、常磐公園に詩碑が建立されたほか、翌年には優れた現代詩集に対して贈られる小熊秀雄賞が創設されている。

高橋北修　たかはし・ほくしゅう　1898―1978

「『大雪山の北修』として親しまれた地元画壇の草分け」

旭川時代の小熊秀雄と交流のあった画家。1918（大正7）年に、ヌタップカムシュッペ画会を結成した地元美術界の草分けである。1931（昭和6）年には帝展に初入選。「大雪山の北修」として親しまれ、戦後も全道美術協会の結成に参加するなど地元画壇をリードした。

旭川画壇の草分け

北修は、本名高橋喜伝司《きでんじ》。1898（明治31）年に旭川に生まれた。印刷所で働くかたわら、10代後半から絵の修業を始める。1918（大正7）年、盟友の画家、関《せき》兵衛《ひょうえ》らとヌタップカムシュッペ画会（ヌタップカムシュッペはアイヌによる大雪山の呼び名）を結成。旭川画壇の草分けとして活躍した。

多彩な交流

酔うと誰彼かまわず喧嘩を吹っかけるなど、いわば破滅型の芸術家だったが、飾ら

高橋北修（1898－1978）

ヌタップカムシュッペ画会結成の頃
（大正８年・左端が北修）

ない人柄で交友は広く、「絵描きの北修さん」と市民から慕われた。1921（大正10）年に旭川にやって来た詩人、小熊秀雄とは、議論が白熱するとしばしば取っ組み合いに至ったが、連れ立って上京するほどの仲でもあった。

プロ野球創生期の名投手スタルヒンが、父母とともに旭川に亡命してきた当時は一家と親しく付き合い、少年スタルヒンに北修が絵を教えた時期もあった。

大雪山の北修

日本画から画業を始めた北修は、その後油絵に転じ、風景や身近な人々などのモチーフを中心に創作を続けた。特に大雪山を望む風景を描いた作品には定評があり、「大雪山の北修」との異名を持つ。1931（昭和6）年には、旭川の画家として初めて帝展に入選。戦後も純生美術会や全道美術協会の結成に参加するなど地元画壇をリードした。

また絵画以外の創作にも意欲を見せ、彫刻や舞台装置、紙人形なども手掛けた。長く常磐公園の千鳥ケ池に設置され市民に親しまれた熊の親子の噴水や、同じく常磐公園にあった初代の岩村通俊《いわむらみちとし》像も北修の作品である。

1962（昭和37）年、脳出血で倒れ、右半身に麻痺が残ったが、左手に絵筆を持ちかえて創作を続けた。1978（昭和53）年、79歳で死去した。

アトリエにて（昭和43年）

「大雪山遠望」（昭和49年）

齋藤　史　さいとう・ふみ　1909―2002

「旭川で2度暮らした日本を代表する歌人」

幼少期と10代の2度に渡って旭川で過ごす。軍人歌人として知られた父、瀏《りゅう》を訪ねて来旭した若山牧水《わかやまぼくすい》の勧めで本格的に短歌を始め、のち日本を代表する歌人となる。1936（昭和11）年の二・二六事件では、旭川の北鎮《ほくちん》小学校で幼馴染だった栗原安秀《くりはらやすひで》ら決起した青年将校が処刑され、彼らを支援したとして瀏も禁固刑に処せられた。このことから事件は生涯を通して史の創作の重要なテーマとなった。

軍人歌人の娘

齋藤史は、1909（明治42）年、東京生まれ。陸軍将校で、佐佐木信綱《ささきのぶつな》門下の歌人でもあった父、瀏の転勤に伴い、幼少期の5年余と、十代の2年余を旭川で過ごす。

1度目の旭川滞在では、当時将校の子供が通っていた北鎮小学校で学ぶ。のちに二・二六事件で決起する栗原安秀は同級生、坂井直《さかいなおし》は2級下の幼馴染だった。

牧水夫妻の訪問と作歌の勧め

1926（大正15）年10月、2度目の旭川勤務で、師団の参謀長を務めていた瀏のもとを若山牧水夫妻が訪れる。飄々として飾らない人柄に史は強く魅かれ、「あなたは歌をやるべきだ」という牧水の言葉がきっかけになり、本格的な創作の道に進む。

齋藤　史（1909－2002）

齋藤　瀏（1879－1953）

北鎮小学校１年生の史

旭川歌話会《かわかい》と小熊秀雄との出会い

牧水の来訪は、地元の歌人にも刺激を与え、東京時代に北原白秋《きたはらはくしゅう》の教えを受けた酒《さか》井《い》廣治《ひろじ》らを中心に、短歌の研究会、旭川歌話会が結成される。歌話会には、瀏・史親子も参加。ここで史は、幹事としてやはり会に加わった小熊秀雄と出会う。その後まもなく、瀏と史は、瀏の異動により旭川を離れることになり、歌話会メンバーは送別歌会を開いて別れを惜しんだ。

運命を変えた二・二六

瀏と史が東京に戻っていた1936(昭和11)年、二・二六事件が起きる。栗原、坂井をはじめとする青年将校は反乱軍とされて処刑され、彼らの相談相手だった瀏も反乱を幇助したとして禁固刑を受ける。このことに史は大きな衝撃を受け、以後、事件は生涯に渡り創作上の大きなテーマとなった。

なお史は、1980(昭和55)年、71歳の時に旭川を訪れ、かつての参謀長官舎の跡地をはじめ、旧偕行社や近文地区などを巡っている。

「牧水も来て宿りたる家のあと大反魂草は盛り過ぎたり(齋藤史)」

惜別の一首を殘して
齋藤史子さん

旭川を去る際の記事
(旭川新聞・昭和2年)

北鎮小学校(大正時代)

速田　弘　はやた・ひろし　1905—？

「『ヤマニの兄貴』と呼ばれたカフェー店主」

旭川を代表するカフェー、ヤマニの2代目店主。斬新な新聞広告で注目を浴びるなど、時代を先取りした感覚で店を旭川有数のカフェーに育てた。戦時色が強まる中、経営の悪化から失意の中で旭川を去るが、戦後、東京銀座でクラブチェーンを成功させて復活する。旭川初の弦楽アンサンブルに参加するなど、事業以外でも豊かな才能を発揮した。

ヤマニの兄貴

ヤマニは、1911（明治44）年、旭川の師団通（今の平和通買物公園）4条通8丁目に速田《はやた》仁《に》市郎《いちろう》が開店した食堂、ヤマニ旭館が前身。食堂としても繁昌していたが、1923（大正12）年、時流に乗ってカフェーを併設（のちカフェー専業に）、さらに人気を不動のものにした。

このカフェー時代のヤマニの名物店主だったのが、「ヤマニの兄貴」、「モボ（モダンボーイ）」などと称された2代目の弘である。

斬新な経営感覚

弘の経営は、時代を先取りした鋭い感覚が特徴だった。自ら考案した斬新なコピー

カフェー・ヤマニ（昭和５年）

速田弘（1905－？）

の新聞広告を立て続けに掲載するとともに、当時始まったばかりのラジオ放送の聴取免許をとって客集めに利用したほか、ギリシャ神話の女神の名をもじったアボQなる突飛な名前の喫茶店をヤマニ脇に開店するなど、新機軸を次々に打ち出した。

さらに舞台装置の制作にも携わった画家、高橋北修らの協力を得て、ステージショー的な催しも行った。

共鳴音楽会と田上義也《たのうえよしや》との交友

新感覚の経営者、速田弘のカフェー・ヤマニには、多くの文化人が集った。特に注目されるのが、音楽家のグループである。実は弘は１９２１（大正10）年に結成された旭川初の弦楽アンサンブル、旭川共鳴音楽会のメンバーで、チェロを弾いた。さらに「チャールストンジャズバンド」なるグループも結成していた。

音楽を通して知り合った人びとの中には、バイオリニストとしても活躍した札幌在住の名建築家、田上義也もいる。田上は、弘の依頼でヤマニの改装や、アボQおよび１９３３（昭和８）年開店の新店舗パリジャンクラブの設計を手掛けている。

挫折と戦後の復活

斬新な感覚とマルチな才能、幅広い交友を武器に大正から昭和初期にかけての旭川の飲食業界に新風を吹かせた弘だが、その後、戦時色が強まるとともに事業を取り巻く環境は急速に悪化する。パリジャンクラブの開店で立て直しを図るものの事態は好

ヤマニの店内（昭和４年）

弘のコピーが載った新聞広告（昭和６年）

転せず、１９３４（昭和９）年、行き詰まった弘は自殺を図る。

一命は取り留めたものの破産状態となり、旭川から姿を消した弘だったが、戦後はなんと東京銀座でクラブチェーンを経営して成功を果たし、実業家として復活を果たしている。

なお劇中の速田は、店長としての貫禄を出すため、実際よりも３歳上に設定してある。

佐野文子　さの・ふみこ　1893―1978

「廃娼《はいしょう》運動など社会活動に生涯を捧げたクリスチャン」

大正から昭和にかけて、旭川を中心に活躍した社会活動家。その分野は、女性の自立の支援、苦学生への援助、受刑者の更生保護など多岐に渡る。最も有名なのは虐げられた立場の娼妓《しょうぎ》を救う廃娼運動。自ら遊郭に乗り込んでビラを撒き、命がけで逃がした女性は10人を超えるとされる。

来旭と短い結婚生活

１８９３（明治26）年、島根県で熱心なキリスト教信者の家に生まれる。

１９０９（明治42）年、旭川で病院を経営していた義理の兄を頼って移転、小学校教諭となる。ほどなく実業家、佐野啓次郎《さのけいじろう》と結婚するが、９年後に夫は病死。これを

共鳴音楽会の仲間たちと（後列左が速田）

佐野文子（1893－1978）

きっかけにさまざまな社会活動に身を捧げるようになる。

命をかけた廃娼運動

まず取り組んだのが、働く女性への支援。同志とともに託児所の設置活動を始め、1924（大正13）年、旭川初の託児施設、旭川愛児園が誕生した。

次いで取り組んだのが遊郭で働く女性＝娼妓を救う廃娼運動。旭川に曙遊郭が置かれたのは1898（明治31）年、9年後、これとは別に、現在の東1〜2条2丁目に中島遊郭が設置される。文子はこの遊郭の敷地内に単身乗り込み、ビラをまくなどして活動の存在を知らせるとともに、実際に娼妓を逃れさせるなどの支援に奮闘した。時には遊郭の用心棒に刃物を突き付けられることもあったが、文子はひるまず、彼女の支援を受けて廃業した女性は10人を超えるとされる。

首相宅の家庭教師

一方で文子は、戦時中、陸軍の要請を受けて上京。当時の首相、東条英機《とうじょうひでき》邸で家庭教師として働くという数奇な経験をしている。

戦時中、国防婦人会旭川支部長としての精力的な活動が全国的に知られていたための要請だった。東条家では、家族だけでなく首相自身も彼女を「佐野先生」と呼んだと伝えられている。

文子ら国防婦人会の行進（昭和12年）

中島遊郭の妓楼（大正７年）

学費援助と晩年

文子は地元の苦学生のための学費の援助も行ったことでも知られている。支援を受けた学生の一人には、旭川市出身で、第10代のＮＨＫ会長を務めた前田《まえだ》義徳《よしのり》がいる。

文子は、戦後も戦争孤児救済のための施設の設立などに努めた他、旭川婦人会会長など多くの公職を歴任。街で遊ぶ青少年に帰宅を促す「母の鐘」の設置をはじめさまざまな活動を行ったのち、１９７８（昭和53）年に死去。84年の生涯だった。

「母の鐘」が設置されたロータリーの大平和塔（昭和34年）

佐藤市太郎　さとう・いちたろう　1867—1942

「『神田館の大将』と呼ばれた興業王」

東京出身で、20代で北海道に渡り、札幌で高級理髪店「神田床」を開店、成功をおさめる。その後、旭川に本拠地を移すとともに、活動写真館の経営に乗り出し、最盛期には全道各地に10館以上を設け、「神田館の大将」と呼ばれた。相次ぐ火災で事業は縮小したが、旭川では市議会議員を務めるなど、晩年まで名士であった。

武家長男から来道、理髪店経営へ

１８６７（慶應３）年、今の東京都墨田区で生まれる。もともと実家は武家だった

佐藤市太郎（1867－1942）

が、明治維新の影響で破産に瀕したため床屋修行に出される。20代で新天地、北海道に渡り、札幌で「神田床」と名付けた高級理髪店を始める。これが評判を呼び、旭川に支店を出すとともに、本拠地も当時進展著しい旭川に移した。理髪店経営は順調で、業界組織のトップも務めた。

神田館の大将

実業家として成功をおさめた佐藤が次に手がけたのが、当時人気を呼び始めていた活動写真館の経営である。東京浅草の活動写真館の盛況ぶりに刺激を受けた佐藤は、1911（明治44）年、旭川に北海道では2番目の常設の活動写真館「神田館」を開業する。たちまち客が押し寄せ、旭川に相次いで2館を増設する。さらに札幌、小樽、室蘭、帯広、釧路など、道内各地に神田館チェーンを展開、その数は最盛期には10を超えた。興業王となった佐藤の名前は全道に知られ、「神田館の大将」と呼ばれた。

事業縮小するものの、名士として活躍

北海道を代表する興業主となった佐藤だったが、関東大震災のあった1923（大正12）年以降は、

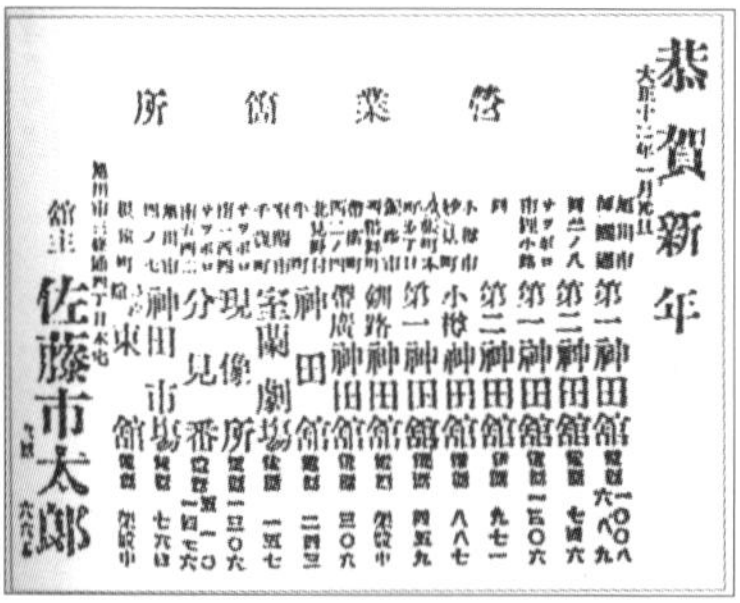
恭賀新年
営業館所
第一神田館
第二神田館
第一神田館
第三神田館
小樽神田館
第一神田館
釧路神田館
帯広神田館
神田館
室蘭劇場
現像所
分見番
神田市場
東館
館主 佐藤市太郎

神田館チェーンの新聞広告（大正12年）

第一神田館があった頃の師団道路（大正末）

第一神田館（大正中期）

押し寄せた不況の波や、相次ぐ経営館の火事が影響して事業は縮小を余儀なくされる。その一方で、さまざまな社会事業に関わり、１９２２（大正11）年から亡くなる直前まで市議会議員を務めるなど、晩年まで地域の名士であり続けた。

小池栄寿　こいけ・よしひさ　1905―2003

「小熊との交友日記を残した詩人」

１９０５（明治38）年、鷹栖町生まれ。旧制旭川中学時代に同級生だったのちの旭川詩壇の中心人物、鈴木《すずき》政輝《まさてる》らに誘われて詩作を始める。上京して東洋大学に進むが、卒業後、北海道に戻って長く教職に就いた。また１９２７（昭和２）年には、小熊秀雄らが創刊した詩誌「円筒帽《えんしうぼう》」の同人となっている。

この頃の日記をもとに書いた手記「小熊秀雄との交友日記」には、連日、互いの家や喫茶店、カフェーなどに集って芸術談義を繰り広げる当時の旭川の若き文化人たちの姿が描写されており、郷土史の貴重な史料となっている。

晩年は千葉県に住み、２００３（平成15）年、97歳で死去した。

なお劇中での小池栄寿は、１９２４（大正13）年10月の美術展のシーンと翌年８月のカフェー・ヤマニのシーンに登場するが、実際の小池はこの時期、進学により上京中のため旭川にはおらず、まだ教師にもなっていない。また劇中の年齢も、実際より２歳上に設定している。

小池栄寿（1905－2003）

今野大力　こんの・だいりき　1904―1935

「31歳で逝ったプロレタリア詩人」

宮城県で生まれ、3歳の時に一家で旭川に移住する。8歳から名寄、そして深川に住むが、父親が事業に失敗し、16歳の時、旭川に戻る。郵便局の小包係となった17歳のころから詩作を始め、のちに毎日新聞の社長となる平岡敏男《ひらおかとしお》や小熊秀雄、鈴木政輝ら旭川の多士済々な詩友と交流する。

1929（昭和4）年、2度目の上京を果たす。プロレタリア文学活動に接近し、農民闘争を支援する作品などを発表するとともに、左翼系文芸誌の編集に携わった。

1932（昭和7）年、当局の弾圧を受けて検挙され、激しい拷問を受けて半年余りの療養を余儀なくされる。作家、壺井栄《つぼいさかえ》や宮本百合子《みやもとゆりこ》らの支援で回復したものの、再び結核のため病床につき、1935（昭和10）年、中野区の療養所で死去した。31歳だった。

鈴木政輝　すずき・まさてる　1905―1982

「華麗な交友を誇る旭川詩壇のカリスマ」

1905（明治38）年、旭川生まれ。旧制旭川中学時代から本格的な詩作を始め、日本大学法文学部に進む。9年間に渡った東京生活では、川端康成《かわばたやすなり》や堀辰雄《ほりたつお》、萩原朔《はぎわらさく》

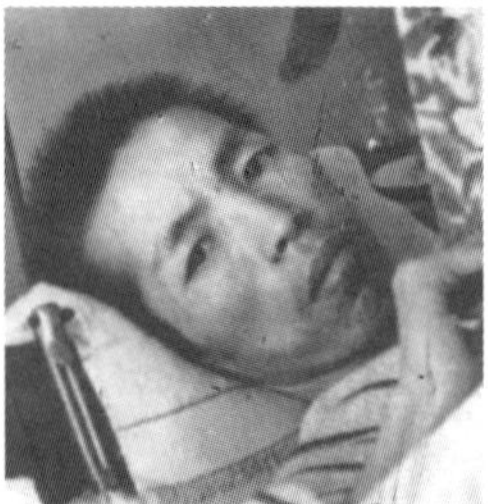

今野大力（1904－1935）

鈴木政輝（1905－1982）

太郎《たろう》らと交流する一方、度々旭川に帰省し、詩誌「円筒帽」を小熊秀雄らと創刊するなど活発に活動した。

1934（昭和9）年には、旭川で詩誌「國詩評林《こくしひょうりん》」を創刊。さらに2年後には北海道詩人協会を旭川で発会させ、中心メンバーとなる。

その後は、文芸に加え、父母から受け継いだ茶華道の教授としても活動し、1951（昭和26）年には、旭川市文化賞を受賞している。

酒井廣治　さかい・ひろじ　1894―1956

「白秋の教えを受けた実業家歌人」

1894（明治27）年、福井県生まれ。4歳の時、一家で旭川に移住し、上川中学に進学する。このころから短歌に興味を抱き、文科系大学への進学を望んだが、土木建築業を営んでいた父の命令で東京歯科医学専門学校に進む。

東京では、勉学のかたわら、歌人としても著名だった北原白秋に師事し、門下生のリーダー格と称された。

1921（大正10）年、家庭の事情で旭川に戻る。実業家として仕事を行う一方、1926（大正15）年には、歌人、若山牧水の旭川訪問等をきっかけに、短歌の研究会、旭川歌話会を結成している。

1941（昭和16）年に旭川信用組合組合長、1951（昭和26）年に初代旭川信

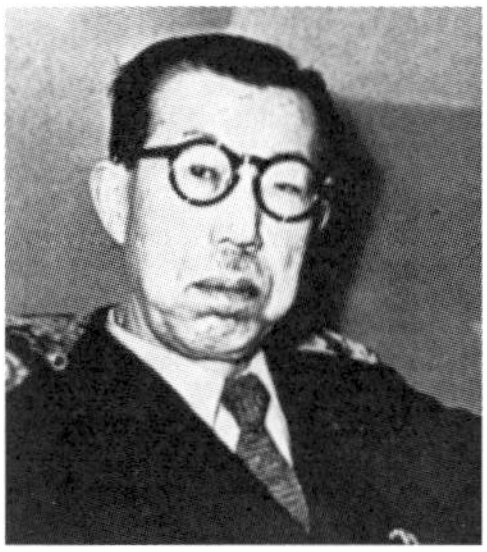
酒井廣治（1894―1956）

用金庫理事長となるなど、経済人として活躍したが、その一方で、歌人としても精力的に活動し、地元歌壇の振興に貢献した。

町井八郎　まちい・はちろう　1900―1976

「音楽大行進を産んだ旭川音楽界の父」

札幌で生まれ、函館を経て、一家で旭川に移り住む。日章小学校から上川中学に進み、上京して東京音楽学校（現在の東京芸術大学）に入学する。1919（大正8）年、教員となって長野県に赴任するも1年で辞めて帰省。1923（大正12）年、3条通8丁目に町井楽器店を開く。さらに旭川師範学校（現北海道教育大学旭川校）で音楽の教官を務める一方、女学校でも教壇に立った。

1929（昭和4）年には、旭川吹奏楽連盟を結成し、理事長に就任。同じ年に北海タイムス旭川支局長だった竹内武夫《たけうちたけお》とともに音楽行進の催しを発案。「音楽の街旭川」の代名詞となる第1回の慰霊音楽大行進が実現した。

その活発な活動から「旭川音楽界の父」とされる町井だが、1976（昭和51）年、心不全により76歳で死去した。

創業間もない頃の町井楽器店

竹内武夫　たけうち・たけお　1896―1974

「北海タイムス支局長として文化振興に貢献」

1896（明治29）年、室蘭生まれ。旭川には、1926（大正15）年、北海タイムス旭川支局次長として赴任。支局長時代の1929（昭和4）年に、旭川吹奏楽連盟理事長の町井八郎《まちいはちろう》とともに第1回慰霊音楽大行進の実現に尽力した。

また札幌時代に交流のあった建築家で音楽家の田上義也を度々旭川に呼び、これが縁で当時、田上の設計による複数の建物が旭川に作られた。

竹内は、1932（昭和7）年から旭川市選出の道議会議員を1期務めたあと、富良野市に転居。地域の観光振興などに尽力し、名誉市民となっている。

このほか富良野時代には、長年、国鉄富良野駅で自ら考案したまんじゅうの立ち売りを行い、「元道議さんのまんじゅう売り」として人気を集めた。

田上義也　たのうえ・よしや　1899―1991

「音楽でも才能を発揮した名建築家」

栃木県生まれ。早稲田大学付属早稲田工手学校卒業後、役所勤めを経て、帝国ホテル建設事務所に入所。設計者である名建築家、フランク・ロイド・ライトの指導のもと業務に当たる。またこの頃、学生時代から始めたバイオリンを本格的に習う。

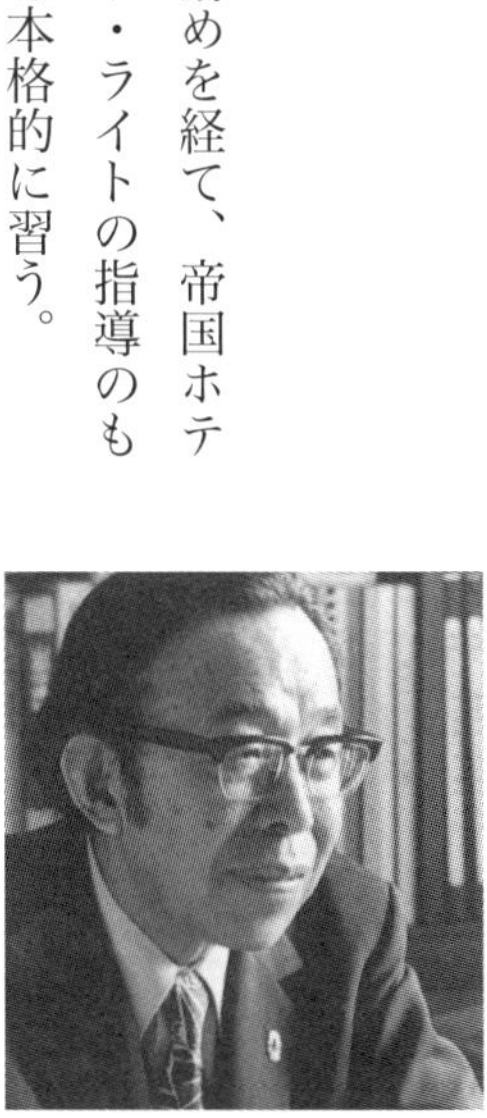

田上義也（1899－1991）

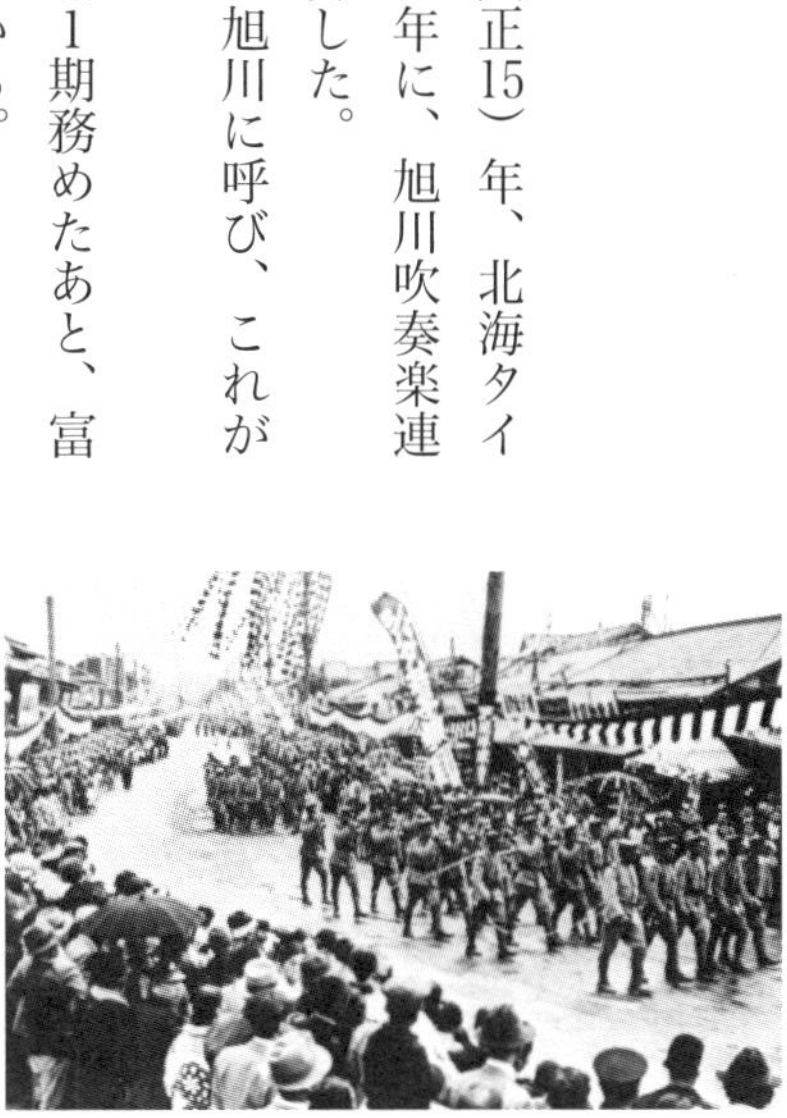

第９回慰霊音楽大行進（昭和12年）

1923（大正12）年、北海道に渡り、札幌を拠点に建築家、音楽家として活動を続ける。このうち建築の分野では、独自の美意識に基づく多彩な住宅、公共施設を道内各地で設計、近代日本を代表する建築家として評価されている。

また音楽分野では、ピアノとチェロとのアンサンブル、北光トリオで活動したほか、1937（昭和12）年には札幌新交響楽団を創設し、初代指揮者を務めている。

旭川には、親交のあった北海タイムスの竹内武夫の招きで何度も訪問。北光トリオでの演奏を披露するとともに、音楽家でもあった速田弘経営のカフェー・ヤマニの改装を手掛けるなどの足跡を残している。

加藤顕清　かとう・けんせい　1894―1966

「木彫り熊も指導した彫刻界の重鎮」

1894（明治27）年、岐阜県生まれ。生後間もなく北海道に移住し、旧制上川中学で学ぶ。卒業して代用教員を務めたあと上京。旭川ゆかりの彫刻家、中原悌二郎《なかはらていじろう》との出会いをきっかけに彫刻の道を志す。

東京美術学校（現在の東京芸術大学）彫刻科で学んだ加藤は、帝展や文展、日展などに活発に作品を発表。戦後も日本彫塑会会長に就任するなど、日本の彫刻会を代表する存在だった。

生涯に渡って北海道、旭川とのつながりは深く、昭和初期には道庁の委嘱を

加藤顕清の作品（七条緑道）

受けて熊の木彫りを学ぶアイヌの若者への指導に当たっている。

ヴィクトル・スタルヒン　1916―1957

「大正末の旭川にやってきたのちの大投手」

帝政時代のロシアに生まれたスタルヒンが、ロシア革命により国を追われ、軍の将校だった父コンスタンチン、母エフドキアとともに旭川にやって来たのは1925（大正14）年、9歳の時だった。

両親は生地の行商を始め、次いで8条通8丁目にミルクホール白《しろ》ロシアを、さらに3条通8丁目で喫茶店バイカルを経営する。しかし1933（昭和8）年、コンスタンチンが従業員のロシア人女性を殺害する事件を起こしてしまう。

この事件は、日章小学校から旭川中学に進み、野球部のエースとして活躍していたスタルヒンの運命を大きく変える。翌年、日米野球のために結成された職業野球団に加わるよう強い圧力を受け、スタルヒンは中学を中退して上京する。断れば政府に働きかけて一家を国外追放にすることもできるというスカウトの脅迫まがいの言葉を受けての苦渋の決断だった。

その後、スタルヒンは黎明期のプロ野球で活躍し、日本初の300勝投手となるが、父親の事件の後もカンパを集めて学費や生活費を支援してくれた旭川の人びとへの感謝の気持ちを生涯持ち続けたと伝えられている。

ヴィクトル・スタルヒン（1916－1957）

１９５７（昭和32）年、スタルヒンは自動車を運転中、電車と衝突する事故を起こして死亡。まだ40歳の若さだった。

なお画家、高橋北修は旭川時代のスタルヒン一家と親しく、北修に絵を習っていた少年スタルヒンが「野球を辞めて、絵描きになりたい」と言ったことがあった。これに対し、北修は野球を続けるよう勧めたという。

三浦綾子　みうら・あやこ　1922―1999

「『愛とは何か』を問い続けた旭川生まれの国民作家」

旧姓、堀田。１９２２（大正11）年、旭川生まれ。市立高等女学校卒業後、小学校の教師となる。戦後、結核と脊椎カリエスで長期療養を強いられる。１９５２（昭和27）年、30歳の時に病床で洗礼を受ける。

１９５９（昭和34）年、同じクリスチャンの三浦《みうら》光世《みつよ》と結婚。光世は、癌やパーキンソン病などその後もさまざまな病気に苦しみながら創作を続けた綾子の作家活動を、口述筆記で支えた。

１９６４（昭和39）年、朝日新聞社の１０００万円懸賞小説公募に、旭川を舞台にした「氷点」が入選。新聞小説として連載され、単行本はベストセラーとなった。

以降、「塩狩峠」、「細川ガラシャ夫人」、「泥流地帯」、「銃口」など、キリスト教の信仰に根差し、「愛とは何か」を問い続ける作品を次々と発表、国民的作家となった。

三浦綾子（1922－1999）

1998（平成10）年、「氷点」の舞台となった旭川市神楽の見本林の中に民立民営の三浦綾子記念文学館が開館したが、翌年、多臓器不全のため旭川市内で没した。77歳だった。

劇中のトピック

ACT1

〈第一神田館と火災〉

第一神田館は、神田館の大将と呼ばれた実業家、佐藤市太郎が、1911（明治44）年、旭川のメインストリート、4条師団通8丁目に開館した活動写真館（映画館）。常設の施設としては、函館の錦輝館《きんきかん》に次ぐ北海道で2館目の活動写真館だった。1917（大正6）年の改築後は、一部5階建ての威容を誇った。

この師団通のシンボル的な建物が炎に包まれたのは、1925（大正14）年6月10日の正午前。3階の映写室から出た火が瞬く間に広がって、白亜の建物は塔部分から焼け落ちて全焼する。次回の上映作の試写をしていた際の失火が原因とされる。劇のオープニングは、この時のイメージで描かれている。

当時のフィルムは極めて燃えやすく、また光源には、高温になりやすく、火花を発することもあったアーク灯が使われていたため、多くの活動写真館の火災の

炎上する第一神田館（大正14年）

第一神田館（大正末）

原因となった。

〈旭川の開村〜市制施行〉

明治20年代に入り、北海道の内陸部の開発、特に上川での道路や屯田兵屋の建設など大工事が進むと、職人や行商人など多くの人が今の旭川に流入するようになる。これらの人々は、忠別川・美瑛川の合流地付近に小屋を作り、自然発生的な集落ができた。これが現在も曙《あけぼの》と名前の残る旭川市街地の始まりである。さらに１８９０（明治23）年には、旭川村、永山村、神居村の３つの村が設置された。

その後、旭川は、鉄道の開通や師団の移駐で大きく飛躍。１９０２（明治35）年には、一級町村制が施行され、本田親美《ほんだちかよし》が初代町長に就任した。次いで１９１４（大正３）年には北海道独自の行政単位である区制が敷かれる。さらに１９２２（大正11）年には、北海道にも市制が導入され、札幌、函館、小樽、室蘭、釧路とともに市となった。この年の旭川の戸数は1万２０００戸余、人口は6万２４００人余だった。

〈屯田兵の入植〉

北海道の警備と開拓を目的に創設された屯田兵制度だが、１８９０（明治23）年に、従来の困窮士族が対象の士族屯田から、農民なども志願できる平民屯田へと切り替えられる。上川屯田はその始まりだった。

１８９１（明治24）年に、永山村の東・西兵村（現永山地区）、翌年に旭川村字ウ

永山兵村の兵屋（明治30年代）

曙地区（明治20年代）

シシュベツの上・下兵村（現東旭川地区）、翌々年には、永山村トオマの東・西兵村（現当麻町）の3地区に、本州各地から各400戸、合わせて1200戸の屯田兵と家族が入植した。

これらの屯田兵で組織された第三大隊に初出動の命令が下ったのは、1895（明治28）年のこと。日清戦争のため、屯田兵による臨時第七師団が編成され、第三大隊も東京に赴くが、待機中に講和が成立して将兵は闘うことなく北海道に戻った。

なお上川屯田の設置を決めたのは、当時の組織トップである屯田本部長の永山武四《ながやまたけし》郎《ろう》（のち初代第七師団長）。彼の名前は永山村の元となった。

〈鉄道の開通〉

旭川の鉄道は、1898（明治31）年の空知太《そらちぶと》（現在の滝川と砂川の間）と旭川を結ぶ北海道官設鉄道上川線の開通が始まり。同時に当時は停車場と呼ばれた旭川駅も開業し、札幌方面から大勢の来賓を招いて盛大な祝賀会が開かれた。

空知太―旭川間には、納内《おさむない》、深川、妹背牛《もせうし》、江部乙《えべおつ》、滝川の各駅があり、片道3時間弱の時間がかかった。

またその3年後には、十勝線の旭川―落合間、5年後には天塩線の旭川―名寄間も開通。旭川には3つの鉄道路線の中心地として道内初の鉄道工場が設けられるなど、その後の発展の礎が築かれた。

なおこの鉄道と駅の開業に伴い、旭川の中心部は、現在の駅前へと移り、札幌や小

日清戦争で出動した屯田兵
（明治28年・東京青山練兵場）

開通記念列車（明治31年）

樽などから多くの商人が新しい市街地に進出した。

〈第七師団の移駐〉

第七師団は、北海道各地に配置された屯田兵を基盤に、1896（明治29）年5月に編成された旧陸軍の常備師団。北方警備という重大任務を持ち、北鎮部隊と称された。

師団が創設されたのは札幌だったが、北方の有事においてより機敏な対応がとれる上川の基盤整備が進んだことから、1900（明治33）年、札幌に据え置かれた歩兵第二十五連隊を残し、司令部や各連隊の移駐が始まった（2年後に完了）。

さらに1904（明治37）年には、日露戦争への出動命令があり、大迫尚敏《おおさこなおとし》師団長率いる第七師団は、乃木将軍の第三軍に編成され、旅順攻略に当たった。現地到着後すぐ、攻撃の主力として投入された第七師団は、多くの死傷者を出すも、焦点となった二〇三高地の占拠に成功、戦局の好転に大きく貢献した。

なお第七師団の読み方は「だいななしだん」ではなく「だいしちしだん」。陸上自衛隊が運営する旭川の北鎮記念館によると、師団創立に当たり、宮中で初代師団長、永山武四郎の任命式が行われた際、明治天皇が「しちしだん」と呼んだことが由来とされている。

第七師団司令部（大正８年）

日露戦争に出動する第七師団の将兵（明治37年）

開業日の旭川駅（明治31年）

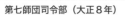

また師団の部隊はいくつかの場所に分散して配備されるのが普通だが、第七師団は札幌の部隊を除いてほぼ全てが一都市に集中して配備された特異な師団であり、その意味でも当時の旭川は全国有数の「軍都」であったと言える。

〈師団通（師団道路）〉

開村当時は近文街道、常盤道路などと呼ばれ、村はずれの田舎道に過ぎなかった現在の平和通。その道路が師団道路と呼ばれ始めたのは、今の場所に旭川駅が設けられ、メインストリートとなった１８９８（明治31）年以降から。その後、大正末期からは師団通とも呼ばれ始めた。

今回、劇で描いた時代の直前まで、通りを走っていたのが馬鉄＝馬車鉄道。陸軍第七師団の旭川移駐に伴って１９０６（明治39）年に運行が始まり、最盛期には客車20台、貨車４台、馬38頭、車掌16人、御者17人の体制で運行された。当時の１日平均の利用者は最大１２００人に上った。

一方、大正から昭和にかけての通りのシンボルだったのは、駅前の通りの入り口に狛犬のように並んだ２つの旅館、７丁目の洋館風の三浦屋と、８丁目の城郭風（和風）の宮越屋だった。

このほか、大正末～昭和初期の師団通には、今のショッピングセンターに当たる勧《かん》工場《こうば》や、活動写真館、丸井今井百貨店や旭ビルディング百貨店などのビルもあった。東京銀座を散策する銀ブラにちなんで、師団通をブラブラ＝団ブラという言葉もこの

三浦屋と宮越屋が並ぶ駅前（昭和初期）

馬鉄が通る師団通（明治44年）

頃使われていた。

〈常磐公園の造成〉

常磐公園は、1912（大正元）年、当時、中島共有地と呼ばれていた現在の場所で造成工事がスタートし、1916（大正5）年5月に開園した。1930（昭和5）年から2年間かけて行われた牛朱別川の切り替え工事以前は、石狩川と牛朱別川に囲まれたいわゆる〝川の中島〟にあり、当初は中島《なかじま》公園と呼ばれた。

公園には売店やボート乗り場が設けられ、以来、長く住民の憩いの場として親しまれている。

戯曲にも登場する詩人の小熊秀雄は「公園の築山にのぼつて　天下の形勢を見れば池の水ぬるみ　つつじ咲く　軍都にこの平穏あり　ボートの中の仲善い男女　間もなく彼女は　軍人を産むであらう！」との詩を残している。

なお常磐公園の「ときわ」には、隣接する常盤通や常盤町と違い、「盤」ではなく「磐」の字が使われている。所説あるが、昭和初期に正門にある常磐公園碑の碑文を揮毫した当時の第七師団師団長、渡辺錠太郎《わたなべじょうたろう》が、割れやすい皿の字を使う「盤」ではなく、文字通り磐石な「磐」の字をあえて使ったとされている。

川の中島だった頃の常磐公園（左下・昭和４年頃）

開園間もない頃の常磐公園（大正時代）

◆ACT2

〈旭ビルディング百貨店〉

かつて4条通7丁目の師団通（現在の平和通買物公園）にあった石造りのビル。第1幕ＡＣＴ２に描かれた美術展の会場でもある。

この場所にビルが建設されたのは１９２２（大正11）年11月。同じく1条通7丁目にあった丸井今井呉服店旭川支店が、改築して旭川初のビル、丸井今井百貨店旭川支店に生まれ変わった1か月後のことだった。

このためビルとしては旭川で2番目となったが、高さでは丸井今井が一部3階建て、旭ビルディングが4階建てで、こちらの方が高かった。

開業当時は二番館という名称だったが、その後経営者が変わって旭ビルディング百貨店、さらに三好屋呉服店と変遷。その後も数度改築され、経営者も変わったが、いずれも定着しなかった。郷土史家の渡辺義雄《わたなべよしお》は、著書の中で、「このように移り変わりの激しいビルは旭川でも珍しい」と書いている。

〈旭川美術協会作品展と〝犬事件〟〉

旭川美術協会は、画家、高橋北修らが結成したヌタップカムシュッペ画会が発展解消し、１９２３（大正12）年6月に発足した組織。第1幕ＡＣＴ２の舞台になっている作品展は、翌年10月、協会が同じく北修らが作った美術研究会、赤耀社《せきようしゃ》と合同で開

旭ビルディング百貨店（大正末）

３条通９丁目の消防望楼から見た
旭ビルディング百貨店（昭和初期）

いた美術展である。

会場は、４条通７丁目に新装開店した旭ビルディング百貨店。当時の旭川ではもっとも高い４階建ての建物で、大勢の市民が眺望を目当てに詰めかけた。ところが屋上に上るには10銭の入場料を払って美術展の会場を通らなければならず、北修らにとっては予想外の収益となった。

また劇では、小熊秀雄の出展作品が会場に紛れ込んだ野良犬に齧られるという意外な展開が描かれているが、これも実際の出来事。小熊の作品は「土と草に憂鬱を感じたり」と題した奇抜な油絵＋コラージュで、絵の中央に本物の鮭の切身の尾の部分が貼りつけてあったため、こうした〝珍事件〟が起きた。

なお美術展については、会場で撮影された参加メンバーの写真が残されている。後列、左端の洋服姿が北修、一人置いた書生スタイルが小熊である。当時、北修は26歳、小熊は23歳だった。

〈旭川師範学校〉

北海道教育大学旭川校につながる北海道旭川師範学校は、１９２３（大正12）年４月の開校。しかし校舎が完成したのは11月。それまでは朝日尋常小学校の一部を間借りして入学式や授業を行った。また学校は全寮制を建前としていたが、取りあえず起工した３棟の寄宿舎が完成したのも11月だった。

劇に登場するヨシオとタケシは旭川師範学校２期生という設定だが、当時の師範学

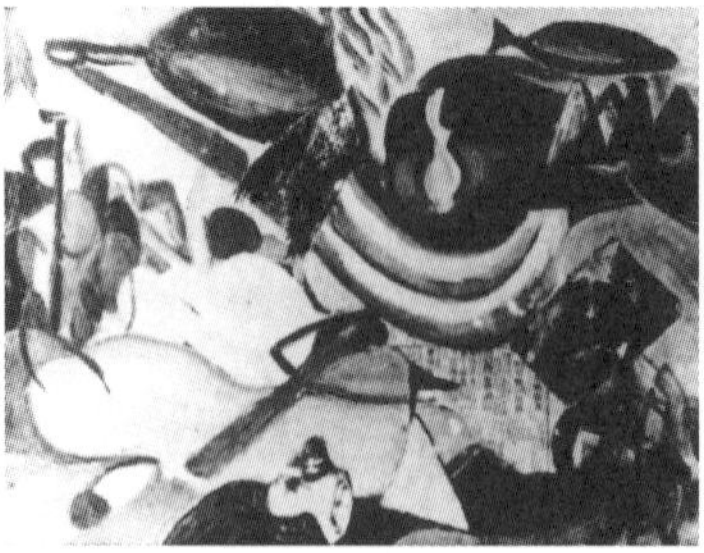
小熊の出展作品

美術展会場での記念写真（大正13年）

校生には軍隊式の厳しい規律が求められ、全寮制のため門限も決められていた。

このため劇中で描かれているカフェー・ヤマニでのアルバイトなどは実際にはあり得なかったと考えられるが、物語の展開上、あえて当時の師範学校生には難しい自由な行動を取らせている。

〈北修の震災避難記〉

この戯曲の主要人物の一人、高橋北修は、実際に旭川で活動した画家だが、青年期に2度立て続けに九死に一生を得る体験をしている。それは1923（大正12）年9月、北修24歳の時。東京で絵の修業をしていた北修は、隅田川に近い向島寺島町《むこうじまてらじままち》の借家で関東大震災の激しい揺れに見舞われる。同居していた画家仲間とともに慌てて外に飛び出すと同時に建物が倒壊したという。

この頃、北修は脚気を患っていたため、故郷旭川に戻る決意を固め、列車に飛び乗る。しかし仙台の手前の白石駅で、思いがけぬ災難に遭う。長髪で着の身着のままの北修を、東京から逃れてきた朝鮮人と疑った群衆に取り囲まれ、袋叩きに遭う寸前に追い込まれたのである。

実は当時、被災地では、「混乱に乗じて朝鮮人が暴動を起こしている」といった流言飛語が飛び交い、それがもとで多くの人が殺される事件が起きていた。そうしたデマは、被災地の外にも広がっており、北修が何度「自分は日本人だ」と訴えても群衆は聞く耳を持たず、「殺してしまえ」とエスカレートするばかり。

鮮人と見誤られ 列車から
引摺降され
殺せと叫ぶ聲
不逞鮮人

北修の避難の顛末を伝える記事（大正12年）

旭川師範学校（昭和３年）

結局、連行された警察署で持っていた日記帳を見せ、旭川を出てからのことを説明すると、ぴったり記載と符合していたため、なんとか窮地を脱することができた。当時の旭川新聞は、ふるさとに戻った北修から取材してこの顛末を詳細に伝えている。

〈小熊と北修の上京〉

小熊秀雄と高橋北修は、1923(大正12)年9月、北修が関東大震災のため旭川に帰郷してまもなく知り合っている。

ACT2の美術展会場のシーンにもあるように、小熊は北修が結成した美術研究会に参加し、絵画展などをともに企画したほか、小熊が掲載した旭川新聞の連載に北修がカットを添えるなど、親しく交流した。一方、ともに気性の激しい同士のため、酒を飲みながら芸術談義をするうちに意見が対立し、しばしば取っ組み合いの喧嘩をしたという。

2人は、東京で身を立てようと、翌1924(大正13)年5月、連れ立って上京するが、小熊が柳行李いっぱいに持って行った詩や小説はなかなか売れず、小熊は2か月ほどで、北修も秋には旭川に戻っている。

新聞に載った20代の北修
(大正12年)

◆ACT3

〈ヤマニと旭川のカフェー事情〉

郷土史家、渡辺義雄の「旭川市街の今昔　まちは生きている」によると、旭川のカフェー第一号は、1919（大正8）年に3条通7丁目に開店したカフェー・ライオン。そして1923（大正12）年、明治時代に創業した4条通8丁目のヤマニ食堂が改装してカフェーとしての営業を開始した（劇では、このヤマニが主な舞台となっている）。さらに1927（昭和2）年には、ヤマニと並んで当時の旭川の文化人が集ったユニオン・パーラー（3条通8丁目）が喫茶からカフェーに転身した。

ただ旭川のカフェーが最盛期に入るのは1930（昭和5）年頃からで、安価でスピーディーなサービスを売りにした店が乱立。ピーク時には70～80軒ものカフェーが師団通や、劇場錦座（3条通15丁目）界隈、中島遊郭界隈で営業していた。

当時のカフェーの代名詞となったのは、和服にエプロン姿の女給である。旭川生まれの小説家、木野工《きのたくみ》の「旭川今昔ばなし」には、1935（昭和10）年の統計データとして、旭川のカフェーで働く女給の数は325人と紹介されている。

しかしこうした盛況ぶりも1937（昭和12）～1938（昭和13）年頃までで、次第に戦時体制が強化されて廃業する店が相次ぎ、1944（昭和19）年には一斉停止命令で姿を消した。

大正時代の旭川のカフェー

カフェー・ヤマニ（昭和４年）

〈旭粋会と黒色青年連盟〉

旭粋会《きょくすいかい》と黒色《こくしょく》青年連盟は、ともに昭和初期に旭川にあった右翼と左翼の団体で、劇に登場する極粋会と黒色青年同盟のモデル。このうち旭粋会は、１９２７（昭和２）年５月に結成された国粋主義の団体。一方、黒色青年連盟は、１９２６（大正15）年１月に東京で結成されたアナキスト（無政府主義者）の全国組織で、北海道でも９月に地方組織が立ち上がり、その一部が旭川で活動を始めている。劇では、２つの団体が対立を深め、ついに今のロータリーの位置にあった常盤橋《ときわばし》で乱闘事件を起こすが、実際の旭粋会と黒色青年連盟も、１９２７（昭和２）年６月24日に常盤橋上で衝突、検挙者19名を出す騒動を起こしている。

発端は、劇と同じく市内の飲食店で酌婦として働かされていた少女が店を逃げ出し、黒色青年連盟の関係者である労働組合員のもとに駆け込んだこと。これを機会に、両団体は小競り合いを繰り返していた。

常盤橋では、双方が角材や鉄棒、さらには日本刀まで持ち出しての渡り合いとなったが、旭川新聞はその様子を「怒号と負傷者の悲鳴とが凄惨に闇に漏れて乱闘場が展開されたが双方土手をはひ上がつて常盤橋上に現れたので黒山のやうな野次馬が物凄い白刃の閃めきに慄ひて逃げまどひ、付近は大変な騒ぎであつた」と伝えている。

ただ双方の動きは警察も察しており、衝突が本格化するや次々とメンバーを検挙したことから30分ほどで騒ぎは鎮まり、けが人はわずか３人におさまった。

旭川新聞

黒色聯盟と旭粋會
果然正面衝突

一昨夜常盤橋上に
入亂れて渡り合ふ
暗に閃く白刃や怒號物凄く
遂に檢束者廿名を出す

負傷者は案外少い

旭川署嚴重取調中

斷乎たる處置を取る
川田檢事正方針を語る

双方無條件和解か

乱闘事件を伝える記事（昭和２年）

常盤橋（大正時代か）

◆ACT4

〈糸屋銀行倒産と十勝岳噴火〉

1926（大正15）年5月24日、旭川および上川地方は、地元銀行の経営破たんと火山噴火という2重のショックに見舞われる。

このうち経営破たんしたのは、旭川に本店を持ち、道北地方を中心に店舗を拡大していた糸屋《いとや》銀行。もともとは1898（明治31）年に兵庫県で創業した銀行だが、3年後、開拓景気に沸く北海道に注目して旭川に支店を開設。さらに本店を旭川に移し、営業範囲は、上川、留萌、宗谷、空知の各地方に広がっていた。

しかし1920年代に入ると、第一世界大戦の大戦景気の反動で不況が深刻化。糸屋銀行も一気に不良債権が増えて経営を圧迫、この日、営業を停止して事実上の経営破たんに陥った。

一方、上川の美瑛町、上富良野町、十勝の新得町にまたがる十勝岳は、この日の正午すぎと午後4時すぎに相次いで爆発的な噴火を起こす。噴火は山頂付近にあった残雪を溶かして大規模な泥流が発生。死者・行方不明者144人という未曽有の大災害となった。

大正十五年五月二十六日

硫黄山爆發し

上富良野《かみふらの》原野《げんや》泥《どろ》の海《うみ》

死傷者中判明したもの約百餘名

倒壊戸數約五十戸水田被害甚大

流失戸數約二百戸

爆發した原因

十勝嶽湖水缺壞

流出して大洪水現出

端艇で大捜索

旭川救援列車

溫泉客不明

役場で炊出し

騎兵隊の出動

十勝岳噴火を伝える記事
（大正15年）

旭川の糸屋銀行本店（大正４年）

〈若山牧水の来旭と旭川歌話会〉

「幾山河越えさり行かば寂しさのはてなむ国ぞ今日も旅ゆく」の名歌で知られる歌人、若山牧水が旭川を訪れたのは、１９２６（大正15）年10月のこと。歌人としても知られ、当時、第七師団参謀長として旭川に赴任していた齋藤瀏を頼っての訪問だった。牧水は、妻、喜志子《きしこ》とともに参謀長官舎に4泊し、市内で講演会を開いたり、色紙や短冊などの揮毫品を売ったりして過ごした。

この頃すでに牧水の名は全国に知られていた。到着の翌日には、常磐公園の上川神社頓宮を会場に歓迎歌会も開かれている。参加したのは、瀏を始め、旭川の短歌界の重鎮である酒井廣治、当時は旭川新聞にいた小熊秀雄や同僚の小林昴《こばやしこう》（すばるとも）ら約70人。多くの人々は、この牧水の来訪などをきっかけに、翌月結成された短歌の研究会、旭川歌話会のメンバーとなった。

なおこの牧水の旭川訪問で、両親とともに夫妻をもてなしたのが、当時17歳だった齋藤史だった。齋藤家の人々とすっかり打ち解けた牧水は、感性の鋭さを感じさせる史に歌を詠むことを勧め、史はその言葉をきっかけに本格的に創作の道に入る。後年、日本を代表する歌人となった史は繰り返し書いている。

「『あなたが歌をやらないというのはいかんな』（中略）あの言葉がなかったら、短歌を書いてきたかどうかと」（齋藤史「遠景近景」より）。

なお劇中では、牧水の来訪を5月の出来事として、また歌話会の結成も実際より早

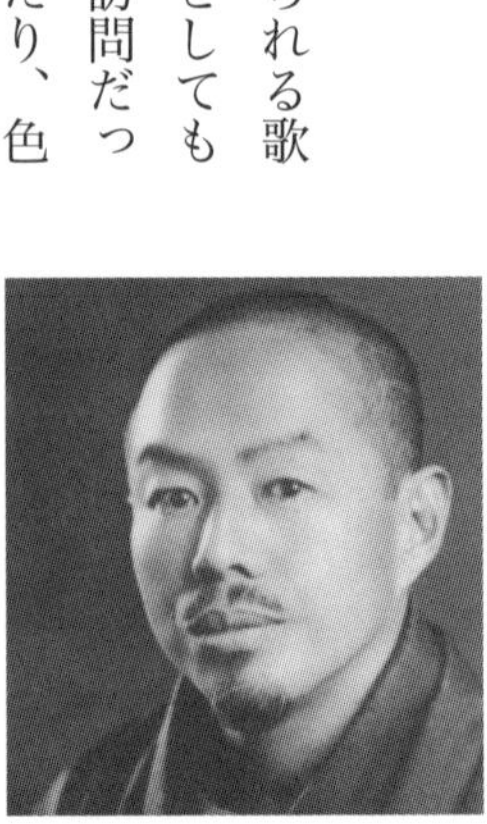
若山牧水（1885－1928）

牧水夫妻と齋藤一家（大正15年）

く描いている。

〈「長髪の小熊秀雄が加わりて歌評はずみきストーブ燃えき」〉

歌人の齋藤史が、旭川歌話会で詩人の小熊秀雄と同席した際の様子を歌った作品。当時の小熊は旭川のさまざまな文化活動の中心人物として活動しており、幹事を務めていた歌話会でも積極的に発言していた様子が伺える。

この戯曲では、史が歌会の席で発表したように描いたが、実際は1987（昭和62）年、齢80に近づいた史が当時を振り返って作った歌である。史の作品の中でも個人名がフルネームで出てくるのは珍しい。

よほど強い印象を受けたものと想像し、あくまで作者の妄想であるが、劇中の史には小熊への思いを抱かせた。

〈二・二六事件と旭川〉

二・二六事件は、1936（昭和11）年2月26日、社会改革を目指した陸軍青年将校らによって引き起こされた。旭川は陸軍第七師団のある軍都であったことから、ゆかりのある多くの人が事件に関わっている。

このうち決起部隊側では、中心だった青年将校の中に、旭川生まれの村中孝次《むらなかたかじ》（事件は免官後の発生）、ともに父親が第七師団の配属経験のある将校で、幼い頃、北鎮小学校で学んだ栗原安秀と坂井直がいる。

齋藤瀏送別歌会の記念写真（昭和２年）

小熊秀雄（1901－1940）

その栗原、坂井と幼馴染だったのが歌人の齋藤史。2度に渡り幹部将校として旭川に勤務した史の父、瀏は、栗原らを支援したとして、禁固刑に処された。

一方、青年将校に襲撃された重臣や軍幹部のうち、陸軍教育総監だった渡辺錠太郎は、事件の7年前まで第七師団の師団長を務めていた。渡辺が師団長だった当時、参謀長だったのが齋藤瀏である。年月を経て2人は襲撃する側とされる側に分かれた。

なお渡辺は私邸を決起軍に襲われて殺害されたが、当時同じ部屋にいたのが次女で9歳だった和子だった。和子は渡辺が師団長だった時に旭川で生まれており、その後、18歳でカトリックの洗礼を受け、のちシスターとなり、長く岡山県のノートルダム清心学園で理事長を務めた。多数の著書があり、2012（平成24）年の「置かれた場所で咲きなさい」は200万部を超えるベストセラーとなったが、2016（平成28）年、89歳で死去した。

◆ACT5
〈美術研究会、赤耀社〉

1923（大正12）年、高橋北修が画家仲間の関兵衛、坂野孝治《さかのこうじ》（孝児とも）と作った組織で、のちに小熊秀雄も加わった。グループ展を開くとともに、同年11月には北海ホテルを会場に美術講演会も開催している。

またその翌月には、旭川では初めての女性モデルを起用したヌードデッサン会を始

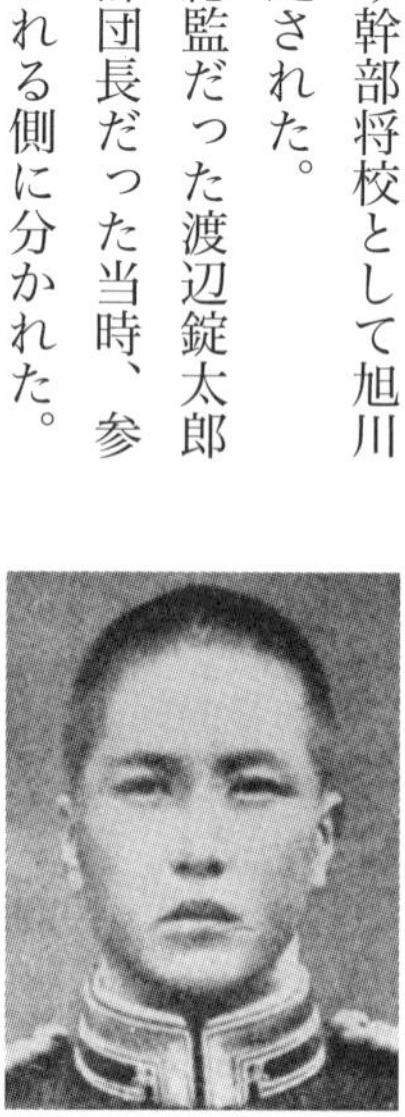

栗原安秀（1908－1936）

渡辺和子（1927－2016）

めている。参加者からは1か月2円の会費を取ったという。

なお劇の中では、このデッサン会の開催を1927（昭和2）年の出来事として描いている。

〈木彫り熊〉

北海道の熊の木彫りは、1923（大正12）年、道南の八雲町にあった旧尾張藩士らが入植して作った農場、徳川農場の農民たちが、尾張徳川家19代当主の徳川義親《とくがわよしちか》がスイスから持ち帰った木彫り熊を手本に作り始めたのが始まりとされる。

旭川では、1926（大正15）年に、近文コタンに住む熊撃ちの名人、松井梅太郎《まついうめたろう》が木彫り熊の製作を始め、やがて仲間の多くも熊彫りを手掛けるようになった。その後、旭川ゆかりの彫刻家、加藤顕清の指導を受けたこともあって彫りの技術は徐々に高まり、土産品として店頭に並び始めた。

松井梅太郎は、このようにアイヌ民族による木彫り熊の先駆者であるとともに、名工としても知られており、1963（昭和38）年には、嵐山公園にその功績を讃えた顕彰碑が建てられた。

〈旭川の遊郭と廃娼運動〉

旭川の遊郭は、まず開拓期の中心部に近い曙《あけぼの》地区に設けられたのが始まり。1898（明治31）年、営業開始の曙遊郭である。その後、陸軍第七師団の旭川移駐に伴い、

松井梅太郎顕彰碑

地元業者が師団に近い今の東1〜2条2丁目に新たな遊郭、中島遊郭の設置を計画。近くに旭川中学があったことなどから、当時の奥田千春《おくだちはる》町長らが反対運動を繰り広げたが、結局、事実上の国主導で計画は認可。1907（明治40）年10月に営業が始まった。

師団の兵士の利用に加え、すでに街の中心は旭川駅から延びる師団道路周辺に移っていたこともあり、中島遊郭は曙遊郭の客を奪う形で急速に伸長。開設時に20軒、約120人だった妓楼《ぎろう》と娼妓《しょうぎ》は、1932（昭和7）〜1933（昭和8）年にはそれぞれ倍近くに膨れ上がった。

こうした遊郭で働く娼妓の解放を目指したのが、当時、キリスト教関係団体を中心に行われた廃娼運動だった。旭川では、1901（明治34）年に赴任したアメリカ人宣教師ピアソン夫妻を中心に、旭川基督教婦人矯風会《きょうふうかい》が活動を始めた他、劇の主要人物でもある佐野文子がその後を引き継ぐ形で行動の柱となった。

◆ACT7・8

〈嵐山〉

旭川八景のひとつにも数えられている市郊外の景勝地。展望台からは、大小の川が流れる肥沃な上川盆地と、川の源に当たる大雪の山々を一望することができる。ただ展望台や北方野草園を含む現在の嵐山公園が整備されたのは1965（昭和40）年の

妓楼が並ぶ中島遊郭（時代不詳）

こと。なので、脚本にあるように、昭和初期に一般の人が気軽に登って景観を楽しめたかはかなり疑問である。

隣接する近文山《ちかぶみやま》には、1885（明治18）年、上川開拓に功績のあった岩村通俊（初代北海道庁長官）や永山武四郎（初代第七師団長・2代目北海道庁長官）らが、山頂から国見（上川盆地を一望したことを表す）をしたことを記念する石碑が建てられている。

〈パリジャンクラブ〉

カフェー・ヤマニの店主、速田弘が1933（昭和8）年に開店した飲食店。純喫茶、レストラン、カフェー、バーを合わせたような新しいコンセプトの店。3〜4条の仲通り7丁目にあった。

設計は、速田と親交のあった名建築家、田上義也が手掛け、正面左手にガラス張りのらせん階段、その上に装飾塔が付くという斬新な建物だった。

翌年、速田はヤマニを閉店して新店舗パリジャンクラブにすべてをかけるが、時代は戦時色が次第に強まってきており、経営は低迷。まもなく多額の負債を抱えて速田が自殺を企てたことから（命は取り留める）、店舗は人手に渡り間もなく閉店した。

パリジャンクラブ
（昭和８年）

嵐山付近からの景観（大正時代）

〈知里幸恵《ちりゆきえ》とアイヌ神謡集《しんようしゅう》〉

知里幸恵は、1903（明治36）年、登別生まれ。6歳の時に旭川の近文コタンに住んでいた祖母と叔母に預けられ、尋常高等小学校から旭川区立女子職業学校に進む。1918（大正7）年、アイヌ語研究のためコタンを訪れた東京の言語学者、金田一《きんだいち》京助《きょうすけ》と出会い、祖母や叔母らが伝承していたアイヌ民族の叙事詩、カムイユカラの日本語訳を始める。

1922（大正11）年5月、幸恵は、金田一の勧めで上京し、のちにアイヌ神謡集となる原稿を書き上げるが、持病の心臓病が悪化し、9月、出版の直前で急逝する。幸恵の遺稿は、翌年、金田一によって刊行された。

アイヌ神謡集は、アイヌ語の原文（原音）をローマ字で表記、さらにその日本語訳を併記しており、文字のないアイヌ語による文学をアイヌ民族自身が初めて紹介した画期的な業績と評価されている。

知里幸恵（1903－1922）

● **エピグラフ**（書物の巻や章のはじめに示す引用句のこと。この脚本では、旭川ゆかりの文学者や詩や散文を使っている）

◆「我が願ひ」より　今野大力

今野大力は、旭川郵便局に勤めた１９２１（大正10）年ころから詩作を始め、雑誌や新聞などに投稿するようになる。

「我が願ひ」は、その最も初期の作品の一つ。同じ年の４月22日付の北海日日新聞に掲載された。時に大力17歳。進むべき道はまだ定まっていないが、前を見据える目はまっすぐである。

◆「無題（遺稿）」より　小熊秀雄

１９４０（昭和15）年11月20日に亡くなった翌月、雑誌「現代文学」に掲載された小熊秀雄の遺稿。

１９６７（昭和42）年５月に常磐公園に設置された小熊の詩碑には、親交の深かった詩人、壺井《つぼい》繁治《しげじ》の揮毫によるこの詩が刻まれている。

◆「片恋《かたこい》」　北原白秋

白秋は、数多くの詩、短歌、童謡で知られる１８８５（明治18）年、福岡県生まれ

今野大力（1904－1935）

小熊秀雄詩碑

の文学者。旭川には、1925（大正14）年8月、詩人仲間との樺太旅行の帰りに、弟子に当たる酒井廣治を訪ねて滞在している（実際には、この時、酒井は札幌に入院中で、かわりに齋藤瀏らが接待に当たった）。

「片恋」は、第3詩集「東京景物詩及其他」に収められた白秋24歳の時の作品。リズム感に溢れた新俗謡詩と呼ばれるジャンルの作品で、白秋は「わが詩風の一大革命を惹き起こした」作品であり、「その後の自分の新俗謡詩は全てこの詩から進展した」と書いている。

◆「おやじとわたし―二・二六事件余談」より　齋藤史

「おやじとわたし―二・二六事件余談」は、1979（昭和54）年2月に放送されたNHKのラジオインタビューのためのメモをもとに、史が書き下ろした手記。翌年刊行されたエッセイ集「遠景近景」に収録された。

エピグラフとして引用したのは、幼馴染の栗原安秀ら青年将校が決起した二・二六事件直前の頃の史の心境を綴ったくだり。

◆「あぱあと」　鈴木政輝

1937（昭和12）年刊行の詩集「帝国情緒」に載せられた作品。1928（昭和3）年、政輝は上京した小熊秀雄夫妻と、やはり詩人仲間であった今野大力とともに巣鴨で共同生活を送るが、すぐに別れて本所3丁目の材木屋の2階のアパートに移る。

北原白秋（1885－1942）

齋藤　史（1909－2002）

鈴木政輝（1905－1982）

この詩の舞台でもあるこのアパートには、交流のあったのちのノーベル賞作家、川端康成も訪ねてきたという。

◆「旭川」　百《もも》田《た》宗《そう》治《じ》

百田宗治は、大阪市出身の詩人、児童文学者。「どこかで春が」などの童謡で知られる。「旭川」は、1936（昭和11）年6月、旭川を訪れた百田が、地元詩人との交流会の席で作った即興詩。

百田は、1945（昭和20）年8月、札幌在住の詩人、更科源蔵《さらしなげんぞう》の支援で北海道に疎開。3年間札幌に住んで道内各地を訪ねた。特に親交が深かった住職が住んでいた愛別町安足間《あんたろま》には定住を考えた時期もあったという。

また百田は請われて道内各地の学校の校歌を作詞しており、旭川では、1947（昭和22）年制定の中央小学校（のち統合され、知新小学校となる）の校歌を手掛けている。

◆「アイヌ神謡集」より　知里幸恵

旭川で少女時代を過ごした知里幸恵は、1918（大正7）年にアイヌ語研究のために近文コタンを訪れた言語学者、金田一京助の勧めでカムイユカラ（神謡）の日本語訳に取り組む。

1922（大正11）年、幸恵は病弱だった体をおして上京。4か月後、金田一宅で

百田宗治（1893－1955）

原稿を書き上げるが、出版の直前に心臓麻痺により急逝した。金田一によって翌年出版された「アイヌ神謡集」は、幸恵自らの筆による「序」と、13編のカムイユカラによって構成されている。

エピグラフとして紹介したのは、「梟の神の自ら歌った謡」の冒頭部分。

◆『春寒記』から『師走の思い出』より　齋藤史

エピグラフではないが、この舞台では、第1幕ACT4で、舞台袖に立った史が、大正から昭和への移り変わりについて回想するシーンがある。

ここで使ったのが、実在の史が1941（昭和16）年に発表し、エッセイ集「春寒記」に収録されている文章である。師走の旭川の女たちの様子、そして大正天皇崩御前後の張りつめた齋藤家の雰囲気が簡潔な表現で伝わってくる。

劇中では一部を改変して使用している。

◆「青年の美しさ」より　小熊秀雄

これもエピグラフではないが、劇のラストで、劇の登場人物たちによって朗唱される。1935（昭和10）年刊行の第1詩集「小熊秀雄詩集」の掲載作品。

知里幸恵文学碑

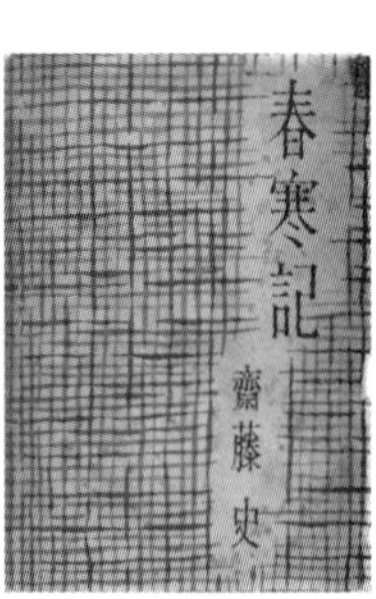

「春寒記」

小熊秀雄（1901－1940）

●劇中歌

◆「旭川行進曲」＝原曲「道頓堀（浅草）行進曲」

劇中歌「旭川行進曲」は、この劇のために作った替え歌。原曲は、昭和初期に大ヒットした「道頓堀（浅草）行進曲」。

「道頓堀行進曲」は、1928（昭和3）年、関西の映画館、松竹座チェーンで、映画の幕間に演じられた女優、岡田嘉子《おかだよしこ》一座の音楽劇「道頓堀行進曲」の主題歌。「赤い灯、青い灯、道頓堀の」で始まる軽快なタッチで、たちまち評判となった。

このヒットを受け、松竹は舞台を東京浅草に替えて映画「浅草行進曲」を制作。さらに「道頓堀行進曲」のメロディーに新たな詩をつけた主題歌「浅草行進曲」を作り、レコード化した。このため同じメロディーの曲が、「道頓堀行進曲」と「浅草行進曲」の2つの流行歌として、それぞれ親しまれる異例のヒットとなった。

劇に登場する「旭川行進曲」は、「浅草行進曲」の歌詞をベースに、地名を浅草から旭川に替えてある。

◆「ヤマニのテーマ」＝原曲「ベアトリ姉ちゃん」

「ヤマニのテーマ」もこの劇のために作った替え歌。原曲は、大正中期に人気を集めた「ベアトリ姉ちゃん」。

「ベアトリ姉ちゃん」は、オーストリアの作曲家、フランツ・フォン・スッペのオペ

岡田嘉子（1902－1992）

レッタ「ボッカチオ」に登場する歌。「ボッカチオ」はまず大正初期に帝国劇場で邦訳による初演があり、その後、浅草オペラで繰り返し上演され、人気を博した。この舞台からは「恋はやさしい野辺の花よ」と「ベアトリ姉ちゃん」の2つのヒット曲が生まれている。

このうち「ベアトリ姉ちゃん」は桶屋、床屋、雑貨屋の中年男3人が歌い、三馬鹿の歌とも呼ばれる。訳詩は日本のオペラの振興に尽力した小林愛雄が手掛けた。ベアトリーチェという娘に呼びかける歌だが、和訳ではベアトリ姉ちゃんと変わるのが面白い。

戯曲では、第1幕ACT4－1で「ヤマニのねえちゃん編」が、第2幕ACT6－4で「そこ行く兄さん編」が歌われる。

◆「宵待草《よいまちぐさ》」

1918（大正7）年に発表された竹久夢二《たけひさゆめじ》作詞の流行歌。

夢二は、1884（明治17）年、岡山県生まれ。数多くの美人画を残した大正ロマンを代表する画家で、「大正の浮世絵師」とも呼ばれた。また詩や童話など、文筆家としても活躍した。

「宵待草」は房総で出会った20歳の女性への思いを綴った3行詩で、まず雑誌や詩集に掲載。その後曲が付けられ、大衆歌として一世を風靡し、今も歌い継がれている。

浅草オペラのステージ

宵待草の楽譜

なお、もともと宵待草という植物はなく、夢二が詩の語感を良くするため、実際にある待宵草《まつよいぐさ》の「待」と「宵」の字を入れ替えたとされる。待宵は陰暦の8月14日を指し、翌日の満月を待つ宵という意味。

◆「旭川節」＝原曲は「東京節」

これも劇のために作った替え歌。原曲は、1918（大正7）年に発表され、大流行した「東京節」。演歌師の添田《そえだ》知道《ともみち》（添田さつきとも）が、アメリカ南北戦争時代のマーチ「ジョージア行進曲」のメロディーに詩を付けた流行歌で、「パイノパイノパイ」の名前でも知られる。

演歌師は、明治から昭和にかけて活動した芸人で、通りや座敷、寄席などでバイオリンやアコーディオンを弾きながら歌を披露し、歌集を売った。

地元のさまざまな名所や名物が出てくる「東京節」にちなみ、劇中の替え歌では、大正～昭和初期の旭川の名所、名物を紹介している。

演歌師

あとがき

「ラストの詩の群読に感動しました。旭川の劇団のお家芸ですね」。

北海道の演劇史を研究している知人から、こんな感想をいただきました。

市民劇のエンディング、旭川のマチを見下ろす嵐山を訪れた主人公の若者のもとに、東京に出た詩人、小熊秀雄から一編の詩が届きます。

小熊の第1詩集に掲載された「青年の美しさ」。

もともとの脚本では、詩を受け取ったヨシオ、続いて小熊が朗唱する設定でした。本公演では、演出の高田学さんの発案で、劇の登場人物全員が一節ずつ朗唱するスタイルが取られました。

うかつにも言われるまでは気が付きませんでしたが、確かに詩の群読は旭川の劇団や演劇人が長く挑んできた表現です。

今年1月に他界した星野由美子さんが率いた劇団「河」は、小熊の長編叙事詩「長《じゃん》長秋夜《じゃんちゅうや》」や「飛ぶ橇《そり》」の群読に定評がありました。その流れをくむ演劇人たちも、さまざまな詩の朗読の催しをこの地で行ってきました。さらにルーツを辿れば、小熊らかつての旭川の詩人たちも、さかんに自作の詩を朗唱しあっていました。

そういえば、秀逸な演出プランを出してくれた高田さんも、「河」の流れを受け継ぐ演劇人の一人です。

高田さんも、わたしと同じで「河」の群読のことは意識していなかったそうです。が、やはり旭川の演劇人の〝作法〟といったものが体に染み付いていたのかもしれません。

この劇は、5年前、大正から昭和初期にかけての旭川の出来事について調べていたわたしの頭の中に、突然、物語が降りてきたことがきっかけで生まれました。「旭川歴史市民劇の記録」に掲載した座談会でも触れましたが、だからこの劇は旭川の歴史が書かせてくれたと今も思っています。

その物語の中で、架空の若者たちは、小熊ら実在の人物と出会い、また多くは実際に当時の旭川であった出来事に遭遇し、悩み、迷い、傷つきながら少しずつ成長します。それは、先人の足跡を踏まえつつ、今を生きるわたしたち自身の姿と重なります。

そして、劇中の若者たちが、それぞれ勇気を持って新たな一歩を踏み出したように、今回の市民劇がきっかけとなって新しい何かが始まるとすれば、これほどうれしいことはありません。またきっとそのことのために、旭川の歴史が、わたしにこの物語を書くという〝使命〟を与えたのだと思うのです。

最後に、コロナ禍という困難な状況のなか、この物語を舞台という目に見えるものにしてくれた全ての皆さま、キャスト、スタッフ、実行委員、事務局員、共催や後援、協力や協賛いただいた団体、個人の方々に、心からの感謝を捧げます。

関わっていただき、本当にありがとうございました。

2021（令和3）年6月
コロナ禍の一刻も早い収束を願いながら

那須　敦志

主な参考文献

新旭川市史　旭川市史編集会議編
旭川市街の今昔　まちは生きている（上・下巻）（旭川文庫３・４）　渡辺義雄編
開基１００年記念誌 目で見る旭川の歩み　旭川市総務局総務部市史編集事務局編
旭川今昔ばなし（総北海ブックス５）　木野工
旭川今昔ばなし（続）（総北海ブックス６）　木野工
旭川夜話 その裏面史（総北海ブックス１）　佐藤喜一
旭川回顧録 市制施行記念　坂東幸太郎・中村正夫共編
旭川市功労者傳　山崎有信
旭川市功労者伝　旭川開基七十周年記念行事実行委員会編
旭川の人びと（旭川叢書第５巻）　村上久吉
旭川市史小話　村上久吉
郷土の歴史に生きる 旭川九十年の百人　北海タイムス社編
旭川の石碑（旭川叢書第20巻）　菅野逸一
旭川文芸百年史　旭川市民文芸編集委員会編
北海道教育大学旭川校90周年記念誌　海老名尚・浅川哲弥・籾岡宏成・西村邦行・作田将三郎・小谷克彦・宮崎拓弥
新版 小熊秀雄全集　小熊秀雄
小熊秀雄研究（小熊秀雄全集別巻）　小田切秀雄・木島始編
北の詩人・小熊秀雄と今野大力　金倉義慧

特別企画展「一〇〇年目の小熊秀雄　～20世紀のアバンギャルド～」　財団法人北海道文学館編
池袋モンパルナスそぞろ歩き　小熊秀雄と池袋モンパルナス　玉井五一編
旭川詩壇史　東延江
続旭川詩壇史　東延江
今野大力作品集　今野大力
じゃっく・ないふの閃き―鈴木政輝の詩精神　北けんじ
旭川の美術家たち―珠玉の宝庫（旭川叢書第35巻）　新明英仁
「高橋北修展」図録　北海道立旭川美術館編
高橋北修作品集　高橋北修
あさひかわと彫刻（旭川叢書第25巻）　中原悌二郎記念旭川市彫刻美術館編
詩人§下村保太郎素描＋旭川茶房の歴史異聞―聖地巡礼　北けんじ
田上義也と札幌モダン―若き建築家の交友の軌跡　井内佳津恵
北のまれびと：エゾライト・田上義也　小山一男
わたしの道　第1集　北海タイムス社編
マックス・ヒンデルと田上義也　大正・昭和前期の北海道建築界と建築家に関する研究　角幸博
ほっかいどう百年物語：北海道の歴史を刻んだ人びと―。第６集　ＳＴＶラジオ編
富良野市制五十年史　富良野市制50周年史編さん委員会編
道北を巡った歌人たち（旭川叢書第34巻）　石山宗晏・西勝洋一
昭和維新の朝《あした》　二・二六事件を生きた将軍と娘　工藤美代子
遠景近景　齋藤史

春寒記　齋藤史
齋藤史全歌集：1828─1993　齋藤史
歌人・酒井広治・飯田佳吉の世界（旭川叢書第9巻）　小林孝虎・波多野勝
白秋全集　北原白秋
シリーズ福祉に生きる18　ピアソン宣教師夫妻／佐野文子　一番ヶ瀬康子・津曲裕次編
田舎伝道者　ピアソン宣教師夫妻　小池創造
明治期北海道映画史　前川公美夫
ロシアから来たエース　300勝投手スタルヒンのもう一つの戦い　ナターシャ・スタルヒン
評伝三浦綾子─ある魂の軌跡（旭川叢書第27巻）　高野斗志美
十勝岳大爆発記録写真集　大正十五年　上富良野町郷土館企画編集
日本語オペラの誕生─鷗外・逍遥から浅草オペラまで　大西由紀
浅草オペラの生活　明治・大正から昭和への日本歌劇の歩み　内山惣十郎
アート・ビギナーズ・コレクション　もっと知りたい　竹久夢二　生涯と作品　小川晶子
演歌師の生活　生活史叢書　添田知道
日本肖像大事典　山口昌男監修
全詩集大成　現代日本詩人全集　第6巻　大手拓次、佐藤惣之助、百田宗治、平戸廉吉
百田宗治と校歌　校歌作成の顛末　佐藤将寛
アイヌ神謡集　知里幸恵
NHK知る楽　こだわり人物伝　2009年4─5月号
資料紹介　当館収蔵の百田宗治関連資料について　2006　資料情報と研究　財団法人北海道文学館編

旭川市公園緑地協会パンフレット「常磐公園 百年の記憶」
CD「大正ロマンのうた」解説
CD「なつかしき歌こころの歌 旅愁／かあさんの歌1 叙情愛唱歌全集」解説

●歴史解説掲載図版一覧

小熊秀雄（1901―1940） 新版 小熊秀雄全集
詩人仲間との会合の記念写真（昭和3年・前列左端に小熊） 旭川文学資料友の会蔵
旭川新聞の上司・同僚と 特別企画展「100年目の小熊秀雄 ～20世紀のアバンギャルド～」図録
池袋モンパルナスの友人たちと（昭和10年頃） 特別企画展「100年目の小熊秀雄 ～20世紀のアバンギャルド～」図録
高橋北修（1898―1978） 高橋北修作品集
ヌタップカムシュッペ画会結成の頃（大正8年・左端が北修） 「高橋北修展」図録
アトリエにて（昭和43年） 「高橋北修展」図録
「大雪山遠望」（昭和49年） 高橋北修作品集
齋藤史（1909―2002） 齋藤宣彦氏蔵
齋藤瀏（1879―1953） 齋藤宣彦氏蔵
北鎮小学校1年生の史 道北を巡った歌人たち（旭川叢書第34巻）
北鎮小学校（大正時代） 道北を巡った歌人たち（旭川叢書第34巻）
旭川を去る際の記事（旭川新聞・昭和2年） 旭川新聞

速田弘（1905―?）　旭川新聞
カフェー・ヤマニ（昭和5年）　絵葉書
弘のコピーが載った新聞広告（昭和6年）　旭川新聞
ヤマニの店内（昭和4年）　旭川新聞
共鳴音楽会の仲間たちと（後列左が速田）　旭川回顧録
佐野文子（1893―1978）　シリーズ福祉に生きる18 ピアソン宣教師夫妻／佐野文子
中島遊郭の妓楼（大正7年）　開道五十年記念 北海道拓殖写真帖
文子ら国防婦人会の行進（昭和12年）　国防婦人会記念写真帖
「母の鐘」が設置されたロータリーの大平和塔（昭和34年）　旭川市博物館蔵
佐藤市太郎（1867―1942）　札幌市文化資料室蔵
第一神田館（大正中期）　絵葉書
第一神田館があった頃の師団道路（大正末）　絵葉書
神田館チェーンの新聞広告（大正12年）　旭川新聞
小池栄寿（1905―2003）　旭川文学資料友の会蔵
今野大力（1904―1935）
鈴木政輝（1905―1982）　旭川文学資料友の会蔵
酒井廣治（1894―1956）　旭川叢書第九巻 歌人・酒井広治・飯田佳吉の世界
創業間もない頃の町井楽器店　旭川市街の今昔 まちは生きている（上巻）〈旭川文庫3〉
第9回慰霊音楽大行進（昭和12年）　旭川市街の今昔 まちは生きている（下巻）〈旭川文庫4〉
田上義也（1899―1991）　ほっかいどう百年物語：北海道の歴史を刻んだ人びと―。第6集

加藤顕清の作品（七条緑道）　個人蔵
ヴィクトル・スタルヒン（１９１６―１９５７）　旭川市博物館蔵
三浦綾子（１９２２―１９９９）　三浦綾子記念文学館蔵
第一神田館（大正末）　絵葉書
炎上する第一神田館（大正14年）　旭川市街の今昔　まちは生きている（下巻）〈旭川文庫４〉
曙地区（明治20年代）　旭川市中央図書館蔵
永山兵村の兵屋（明治30年代）　旭川市街の今昔　まちは生きている（上巻）〈旭川文庫３〉
日清戦争で出動した屯田兵（明治28年・東京青山練兵場）　東旭川町史
開通記念列車（明治31年）　北海道官設鉄道開通式記念写真帖
開業日の旭川駅（明治31年）　北海道官設鉄道開通式記念写真帖
第七師団司令部（大正８年）　シベリア出征凱旋記念写真帖
日露戦争に出動する第七師団の将兵（明治37年）　旭川市中央図書館蔵
馬鉄が通る師団通（明治44年）　絵葉書
三浦屋と宮越屋が並ぶ駅前（昭和初期）　絵葉書
開園間もない頃の常磐公園（大正時代）　絵葉書
川の中島だった頃の常磐公園（左下・昭和４年頃）　日本地理大系　第10巻　北海道・樺太篇
旭ビルディング百貨店（大正末）　絵葉書
３条通９丁目の消防望楼から見た旭ビルディング百貨店（昭和初期）　絵葉書
美術展会場での記念写真（大正13年）　池袋モンパルナスそぞろ歩き　小熊秀雄と池袋モンパルナス
小熊の出展作品　旭川の美術家たち―珠玉の宝庫（旭川叢書第35巻）

旭川師範学校（昭和３年）　旭川写真帖
北修の避難の顛末を伝える記事（大正12年）　旭川新聞
新聞に載った20代の北修（大正12年）　旭川新聞
カフェー・ヤマニ（昭和４年）　絵葉書
大正時代の旭川のカフェー　旭川市街の今昔　まちは生きている（下巻）〈旭川文庫４〉
常盤橋（大正時代か）　絵葉書
乱闘事件を伝える記事（昭和２年）　旭川新聞
旭川の糸屋銀行本店（大正４年）　旭川市街の今昔　まちは生きている（上巻）〈旭川文庫３〉
十勝岳噴火を伝える記事（大正15年）　北海タイムス
若山牧水（１８８５—１９２８）　若山牧水全集
牧水夫妻と齋藤一家（大正15年）　齋藤宣彦氏蔵
小熊秀雄（１９０１—１９４０）　新版　小熊秀雄全集
齋藤瀏送別歌会の記念写真（昭和２年）　道北を巡った歌人たち（旭川叢書第34巻）
栗原安秀（１９０８—１９３６）　二・二六事件—獄中手記・遺書
渡辺和子（１９２７—２０１６）　個人蔵
松井梅太郎顕彰碑　個人蔵
妓楼が並ぶ中島遊郭（時代不詳）　絵葉書
嵐山付近からの景観（大正時代）　絵葉書
パリジャンクラブ（昭和８年）　旭川市街の今昔　まちは生きている（下巻）〈旭川文庫４〉
知里幸恵（１９０３—１９２２）　アイヌ神謡集

今野大力（1904—1935）
小熊秀雄詩碑　個人蔵
北原白秋（1885—1942）　白秋全集
齋藤史（1909—2002）　齋藤史記念短歌文庫蔵
鈴木政輝（1905—1982）　郷土誌あさひかわ　1961年9月号
百田宗治（1893—1955）　全詩集大成　現代日本詩人全集　第6巻　大手拓次、佐藤惣之助、百田宗治、平戸廉吉
知里幸恵文学碑　個人蔵
「春寒記」
小熊秀雄（1901—1940）　新版　小熊秀雄全集
岡田嘉子（1902—1992）　日本肖像大事典
浅草オペラのステージ　画報　近代百年史第十集
宵待草の楽譜　画報　近代百年史第十集
演歌師　演歌師の生活

編著者略歴

那須 敦志
（なす あつし）

1957（昭和32）年12月、旭川生まれ。家の裏を流れる牛朱別川の堤防から眺めた大雪の山並み、そして夕日に輝く旭橋が原風景だった。中央小学校、常盤中学校、旭川北高校に通う。1982（昭和57）年、明治大学文学部文学科（演劇学専修）を卒業し、NHKに入局。道内各地の放送局や東京の放送センターにおいて、取材およびニュース番組の制作を担当したあと、2010（平成22）年４月から４年間、旭川放送局長を務める。このころから故郷旭川の歴史について興味を持ち始め、ブログやセミナー、講演など、さまざまな形で情報発信に努める。

2013（平成25）年、郷土史のさまざまなエピソードをまとめた「知らなかった、こんな旭川」（NHK旭川放送局編著・中西出版）を出版。2016（平成28）年、旭川の伝説の劇団「河」の軌跡を追った「〝あの日たち〟へ　～旭川・劇団『河』と『河原館』の20年～」（中西出版）を上梓。ブログ「もっと知りたい！旭川」で、郷土史情報を発信中。
（URL:http://blog.goo.ne.jp/atusinasu）

旭川歴史市民劇
旭川青春グラフィティ
ザ・ゴールデンエイジ
― コロナ禍中の住民劇全記録 ―

2021年７月31日　初版第１刷発行

著　者　那須敦志
イラスト　ワダタワー
発行者　林下英二
発行所　中西出版株式会社
〒007-0823 札幌市東区東雁来3条1丁目1-34
TEL 011-785-0737
印　刷　中西印刷株式会社
製　本　石田製本株式会社